L'ÉCHAPPÉE BELLE
est le cent quatre-vingt-quinzième livre
publié par Les éditions JCL inc.

Données de catalogage avant publication (Canada)

St-Sauveur, Annabelle, 1976-

L'Échappée Belle: à la découverte des mers du Sud

(Collection Vers l'inconnu)

ISBN 2-89431-195-8

I. St-Sauveur, Annabelle, 1976- - Journal intime. 2. St-Sauveur, Annabelle, 1976- - Voyages. 3. Vie à bord d'un bateau à voiles. I. Titre. II. Collection: Vers l'inconnu (Chicoutimi, Québec).

GV811.65.S24 1999 910.4'5'092 C99-940946-8

Édition originale: septembre 1999

L'ÉCHAPPÉE BELLE

À la découvert des mers du Sud

DANS LA COLLECTION *VERS L'INCONNU*

Tremblay, Pierre-Yves. *À vélo jusqu'au ciel*, Chicoutimi, Éd. JCL, 1999, 386 pages.

930, rue Jacques-Cartier Est, CHICOUTIMI (Québec) G7H 7K9 Canada
Tél.: (418) 696-0536 – Téléc.: (418) 696-3132 – www.jcl.qc.ca
ISBN 2-89431-195-8

Annabelle St-Sauveur

L'ÉCHAPPÉE BELLE

À la découvert des mers du Sud

LES ÉDITIONS JCL

Nous reconnaissons l'aide financière du gouvernement du Canada par l'entremise du Programme d'Aide au Développement de l'Industrie de l'Édition (PADIÉ) pour nos activités d'édition. Nous bénéficions également du soutien de la SODEC et, enfin, nous tenons à remercier le Conseil des Arts du Canada pour l'aide accordée à notre programme de publication.

The Canada Council for the arts | Le Conseil des Arts du Canada

À mes parents que j'aime tendrement
et qui m'ont permis de sentir
d'un peu plus près le frémissement
du monde.

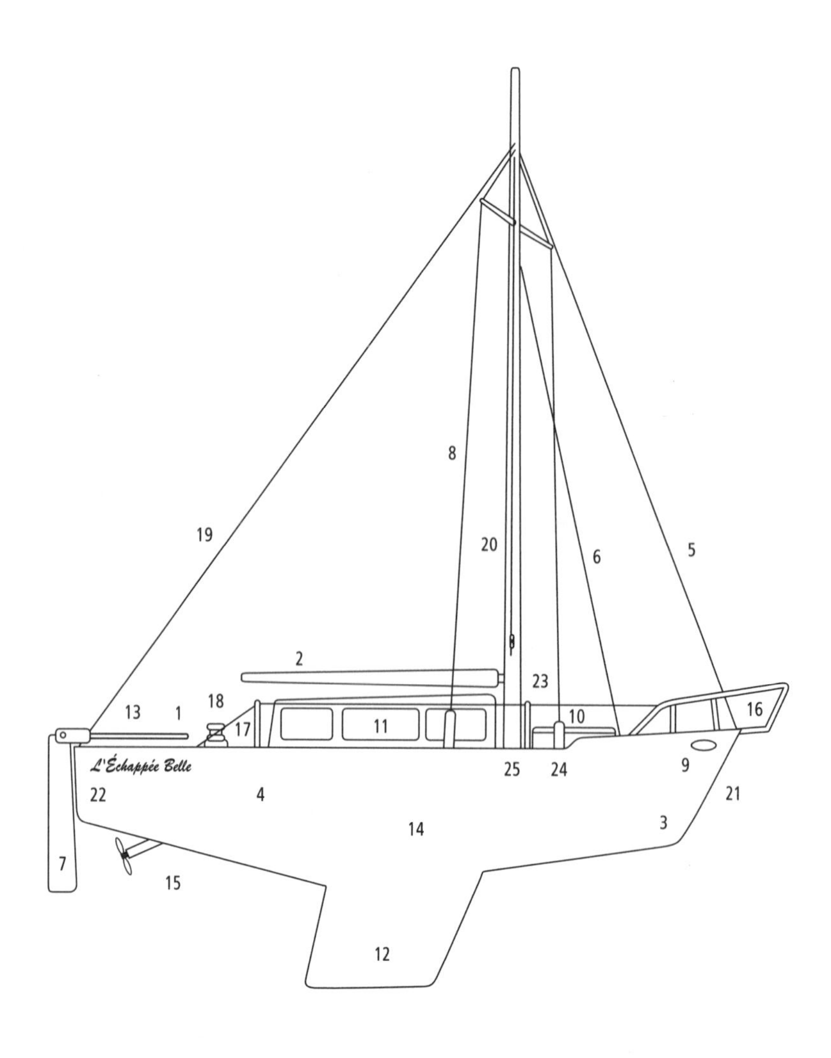

1- Barre franche
2- Bôme
3- Étrave
4- Bordé
5- Étai
6- Bas étai
7- Gouvernail
8- Hauban
9- Chaumard
10- Écoutille
11- Rouf
12- Quille
13- Cockpit
14- Coque
15- Étambot
16- Balcon
17- Filière
18- Cabestan
19- Pataras
20- Drisses
21- Proue
22- Poupe
23- Pont
24- Cadène
25- Mât

Table des matières

Prologue

Après avoir lu ce récit, certains pourraient se demander : Mais pourquoi ? Qu'est-ce qui peut bien pousser trois êtres à partir un jour en voilier en laissant tout derrière eux comme s'il n'y avait pas de retour possible ? Avant qu'on me pose cette question récemment, je n'y avais pas pensé. Je ne l'ai même jamais écrite à l'époque dans mes nombreux journaux intimes, comme si elle n'avait pas lieu d'être. Puis, j'y ai réfléchi, j'ai discuté avec mes parents et j'ai recollé quelques fragments de l'histoire.

En 1990, j'étais à l'école secondaire. Ma mère était réalisatrice à la télévision et travaillait jour et nuit. Elle partageait sa vie entre les tournages à l'extérieur, sa salle de montage hors ligne au sous-sol et les autres salles de montage, souvent disponibles uniquement la nuit. Mon père revenait de quelques années à Paris. Il est auteur-compositeur-interprète et il avait tenté de percer là-bas. Ses textes incisifs étaient loin de faire l'unanimité chez les producteurs de disques qui voulaient des chansons avec « moins de mots » et « plus de bruit ». (Il ne faut pas trop réfléchir, Brassens, c'est dépassé.) Il était donc revenu à Montréal, dégoûté de l'humanité.

Ma mère venait de faire un court reportage pour le directeur d'une école de voile et elle avait accepté comme rémunération... un cours de voile. Donc, en voyant mon père si sombre, elle a lancé : « Fais ce que tu veux, moi je pars en voilier. » (Des paroles en l'air qui auraient des conséquences surprenantes.) Piqué au vif, mon père a répondu qu'il ne la laisserait pas partir seule. Et voilà ! À mon retour de l'école, ils étaient en pleine discussion. Le projet m'a séduite, nous nous sommes mis à nous prendre au sérieux, aucun des trois n'osant reculer, et deux mois plus tard, nous possédions un Tanzer 22. Les premières sorties furent catastrophiques. C'est un capitaine compatissant qui, après avoir vu mes parents tourner en rond tout un après-midi, leur a appris à faire des virements de bord. Lire Les Glénans[1], c'est facile, mais pour le mettre en pratique, c'est autre chose. Je me souviens de la première fois que nous avons jeté l'ancre au lac Champlain : une dame qui nous observait est venue nous enseigner les rudiments du mouillage, car elle était découragée de nous voir recommencer les mêmes opérations maladroites depuis des heures. De plus, la noirceur tombait et le vent commençait à forcir.

Cet été-là, nous avons passé un mois au lac Champlain, puis nous avons pris l'avion pour le Venezuela où nous avons passé deux mois. C'est là que nous avons eu notre première expérience de vie sur la mer. Nous avons loué un charter pour deux semaines. Le capitaine et sa femme se sont tellement querellés que nous avons failli nous enfuir à la nage au bout de quelques jours seulement. Cependant, l'océan m'a subjuguée et j'ai adoré ce séjour sur l'eau.

---

1. *Voir page 281.*

À notre retour à Montréal, en septembre, j'ai commencé une nouvelle année scolaire avec la tête remplie de rêves teintés de turquoise et d'or. Mes parents continuaient à parler de tout vendre pour aller vivre sur un voilier un an ou deux. Je ne prenais pas la chose très au sérieux. J'en parlais parfois à mes amis, histoire d'avoir leur avis. Certains disaient que mes parents n'avaient pas le droit de me forcer à y aller et d'autres trouvaient le projet fabuleux. J'ai passé l'année sans vraiment me préoccuper du départ. Il était encore trop irréel pour que je m'inquiète. J'avais quand même parfois des moments d'exaltation. Ces projets faisaient naître dans mon imagination des aventures au-delà de toutes mes espérances et dépassant de loin les scénarios des films qui me bouleversaient à l'époque.

La réalité du départ s'est imposée doucement quand j'ai commencé à faire des boîtes et à jeter des trucs inutiles. Tout notre avoir devait entrer dans le vieux Chevy Van que mes parents avaient acheté et retapé afin de partir vers la Floride. Pour passer d'un appartement de deux étages à une camionnette puis à un voilier, il faut sélectionner ce qui est vraiment nécessaire. Mes parents avaient songé à partir vers la Martinique en Tanzer 22, car des amis nous avaient dit que le marché des voiliers usagés y était bon. Ils ont vite réalisé qu'il était totalement fou de se lancer à trois dans cette petite coquille de noix, avec des centaines de kilos de bagages, pour aller acheter un voilier plus grand dans une île dont nous ne savions rien. Nous étions peut-être téméraires, mais pas suicidaires !

Finalement, nous avons vu arriver le jour du départ sans trop y penser et nous n'avons réalisé que plus tard l'importance de notre décision. Pourquoi ai-je accepté de partir si facilement ? Je crois que dans mon esprit fantasque, il était tout simplement impossible de refuser de vivre une telle aventure avec tout ce qu'elle évoquait d'extraordinaire et de mystérieux. Je n'avais pas la moindre idée de ce que serait la vie sur un voilier et c'est justement cela qui me séduisait. En plus, orgueilleuse comme je suis, je n'aurais jamais accepté que mes parents affrontent de grands dangers sans moi... Eux aussi avaient envie d'autre chose. Ma mère s'apercevait qu'elle travaillait de plus en plus, qu'elle payait de plus en plus d'impôts et qu'après tout, il ne serait pas plus coûteux de tout vendre pour voyager un bout de temps. Mes parents avaient aussi le désir de me montrer autre chose. Ils me regardaient grandir dans un monde de consommation où les jeunes subissent l'influence d'émissions de télévision abrutissantes dès la plus tendre enfance, ils me voyaient agir et connaissaient mon tempérament excessif et instable. Dans leur esprit, ce grand voyage ne pouvait que m'aider à poser un regard différent sur la vie.

Nous n'avons même pas envisagé à quel point il serait difficile de vivre à trois dans un espace aussi réduit, alors que nous nous croisions à peine à l'heure des repas dans la vie de tous les jours. Après tout, je vivais depuis à peine deux ans avec mon père, car mes parents s'étaient séparés quand j'étais toute petite. Il était revenu vivre avec nous à son retour de Paris et j'acceptais difficilement qu'il se mêle de mon éducation après toutes ces années. Cette incompatibilité de caractère aurait pu remettre en cause le départ, mais notre rêve commun n'admettait aucune souillure.

Nous n'étions même pas certains de notre destination et de la durée du voyage. Nous parlions du Venezuela, mais l'avenir allait en décider autrement. De toute façon, jamais nous n'aurions pu prévoir quoi que ce soit avec tous les contretemps qui sont survenus, particulièrement la première année. Quand je repense à la série de catastrophes que nous avons affrontées, je me demande sur quel nuage nous étions pour nous entêter et ne pas renoncer. Je crois quand même que le fait de n'avoir rien conservé au Québec (ni maison, ni meuble, ni voiture, ni travail) aidait grandement à aller de l'avant. Et puis, il y avait tous ces grands moments d'une intensité époustouflante, la découverte d'îles presque inhabitées, les levers de soleil grandioses, qui nous redonnaient le courage de continuer après les nuits de tempêtes, ces heures difficiles pendant lesquelles j'avais l'impression de lutter pour survivre, percevant la précarité de notre situation. Pour la première fois de mon existence, j'ai senti palpiter la matière dont je suis constituée, j'ai découvert la vie, tout animale qu'elle est, avec ce courage surprenant qu'elle nous donne parfois et cette résistance physique qui nous étonne après coup.

Voilà comment tout est arrivé... il n'y a finalement aucune explication raisonnée qui tienne. Trois fortes têtes, trois inconscients peut-être, un besoin d'oxygène, de changement, et nous étions lancés... Aucun de nous ne serait parti seul et si l'un des trois avait été contre, le voyage n'aurait pas eu lieu. Un accord tacite, un désir d'absolu, des tempéraments impulsifs, passionnés, voilà...

Et puis quand je regarde ces deux spécimens qui m'ont engendrée, je ne me demande même plus pourquoi nous sommes partis. Je crois que c'est peine perdue de sonder les passions qui animent ces êtres que j'aime profondément. En fait, toute cette histoire est la preuve que les rêves les plus fous restent fous si on les juge d'en bas en y réfléchissant deux fois, mais lorsqu'on s'y accroche, ils nous prennent sur leurs ailes et c'est le départ pour un périple fabuleux.

Premier chapitre

L'achat de notre maison flottante

Nous sommes partis le 28 juin 1991. Après une courte visite à la famille de ma mère, nous nous sommes mis en route vers le Sud. Les douaniers n'ont pas fait de cas de notre vieille camionnette surchargée. Nous avions peur qu'ils s'imaginent que nous tentions d'aller travailler illégalement aux États-Unis. Il aurait été difficile de les convaincre que nous voulions seulement acheter un voilier pour faire le tour du monde... Nous avons traversé le Vermont, l'État de New York, le New Jersey, le Delaware, le Maryland, la Caroline du Nord, la Caroline du Sud et la Géorgie en quatre jours, en arrêtant pour dormir dans des campings trop bruyants où la chaleur était insupportable. C'est donc fatigués et plutôt de mauvais poil que nous avons commencé nos recherches en Floride.

Nous avons visité un nombre incroyable de voiliers, nous nous sommes fait harceler par des brokers qui tentaient désespérément de nous vendre un bateau pour toucher la commission, car les acheteurs étaient rares, nous avons vu les pires rafiots et les yachts les plus luxueux (à des prix qui dépassaient l'entendement). Nous sommes allés jusqu'à Key West pour finalement acheter, le 31 juillet 1991, après des négociations menées brillamment par notre broker, la future *L'Échappée Belle*. C'est mon père qui a eu l'idée de nommer le voilier ainsi à cause du sens de cette expression que nous pouvions appliquer à tout ce que nous quittions : la politique, la société de consommation, la télévision... Nous pouvons dire que notre départ était aussi une « belle échappée »... Le plus amusant, c'est que ce voilier est l'un des premiers que nous avons visités et je l'ai aimé tout de suite.

Quelques jours plus tôt, nous avions failli faire une bêtise monumentale en achetant un voilier d'une beauté exceptionnelle qui était en fait... une épave. Il était en bois recouvert de fibre de verre. L'intérieur était en acajou et l'espace ne manquait pas. Nous avions engagé un expert pour qu'il vérifie l'état de ce voilier. Finalement, mes parents avaient changé d'avis car cette vérification leur semblait inutile : ils pouvaient très bien voir eux-mêmes si les voiles et le gréement étaient en bon état. Cependant, l'expert nous avait précédés de quelques minutes et il avait déjà commencé son inspection quand nous sommes venus le rencontrer pour lui dire de laisser tomber. Heureusement ! Il a découvert avec un petit appareil électronique que le bois sous la fibre de verre était entièrement pourri. Il aurait fallu refaire la coque en entier. Bref, nous nous serions ruinés totalement avant même de partir...

Il nous a fallu un mois et demi pour remettre *L'Échappée Belle* en état. Nous pensions qu'il suffirait de donner un coup de pinceau sur la coque et que tout serait prêt pour le départ. Eh non ! Jour après jour nous découvrions un nouveau problème. Les circuits électriques étaient hors d'usage, le moteur ne fonctionnait pas, les pompes d'eau douce et d'eau de mer étaient à changer, etc.

Je commençais à m'ennuyer de mes amis et à m'inquiéter pour l'avenir, mes parents étaient découragés de voir le coût des réparations, nous étions irritables, abattus et commencions même à regretter d'être partis. Heureusement, nous avions loué un motel sur le bord de la plage, car s'il avait fallu ajouter à cela l'inconfort de vivre sur un chantier... nous aurions craqué.

Le 18 septembre 1991, presque trois mois après avoir quitté Montréal, nous étions enfin prêts à partir, accompagnés de notre nouveau compagnon Baloo, un jeune labrador noir. L'aventure allait enfin commencer. Et quelle aventure !

Deuxième chapitre

L'Intercoastal

17 septembre 1991

J'ai 14 ans et je me prépare pour un périple inimaginable et fantastique tissé de morceaux d'océans, de dauphins et d'explorations des fonds marins peuplés de leurs étranges habitants et, qui sait... de rencontres fabuleuses ! Serai-je heureuse ? Oui, car je ferai tout ce qui est en mon pouvoir pour l'être. Quelle merveilleuse aventure est sur le point de commencer ! Quelle chance m'est donnée ! Je vivrai quantité de moments inoubliables qui resteront à jamais ancrés dans mon cœur et dans ma tête. Un nouveau monde à explorer et à apprivoiser, des gens différents, inconnus, et la mer bleue ou turquoise à perte de vue, étourdissante, hallucinante, hypnotisante, la mer tellement riche de nouvelles sources d'émotions, de joies, de malheurs aussi mais... c'est cela la vie.

18 septembre 1991, Port Canaveral, Floride

12 h : avec un peu d'anxiété, mais terriblement heureux, nous détachons les amarres après avoir vérifié le moteur et le gréement.

12 h 30 : je vois s'éloigner lentement le quai, un peu triste de quitter cet endroit devenu familier : la marina où nous avons tant travaillé depuis plus d'un mois, poussés par l'idée obsédante de ce départ, premier pas vers notre rêve de liberté.

L'Intercoastal

En ouvrant les yeux ce matin, j'ai été envahie par un grand souffle d'émerveillement à la pensée de ce qui m'attendait dans les prochains mois et les prochaines années. Le jour crucial était là, encore naissant, enveloppé des timides rayons du soleil levant. Ce jour qui effacerait tous les découragements, balaierait la fatigue et les tourments, ce jour tant espéré.

L'Échappée Belle avance tranquillement, de sa fière allure de reine. Nous passons un pont-levis, puis une petite écluse, encore tout contents d'avoir quitté les quais sans problème. C'est notre première sortie tous les trois sur ce qui nous paraissait, en cale sèche, un monstre gigantesque. Notre maison flottante rapetisse à vue d'œil.

Nous traversons un joli canal, bordé de palmiers et de plantes tropicales ; il nous mènera à l'Intercoastal[2]. Pour l'instant, à cause de l'étroitesse du canal, nous sommes à moteur. Après cinq heures de ce genre de navigation, nous mouillons dans une petite baie. C'est encore une première, mais tout se passe bien.

Je me suis baignée seule au coucher du soleil, puis au clair de lune. Je me laisse flotter puis je plonge dans l'eau devenue noire où je ne peux rien discerner. J'aime quitter le monde terrestre pour me retrouver seule dans cet ailleurs envoûtant où le temps n'existe plus. Quelle sensation merveilleuse que de faire partie des ténèbres, de se sentir en sécurité et craintive à la fois dans cet élément inconnu. Je me retrouve dans le ventre maternel, si petite dans l'immensité. Je déteste le besoin d'oxygène qui rompt la féerie et me ramène brusquement à la réalité. J'abandonne à regret ce refuge sous-marin qui me fait tout oublier et lave mes chagrins. Les hommes ont toujours ressenti le puissant désir de voler ; moi, je voudrais atteindre ces gouffres si profonds qu'aucun rayon de soleil n'y a jamais pénétré.

Pendant la journée, c'est merveilleux de nager avec un masque. Près de la surface, l'éclairage est jaunâtre et devient blanc lumineux quand le soleil sort de derrière les nuages. Je tourne dans tous les sens et je vois soudain apparaître le monde terrestre. Si on regarde à moitié dans l'eau et à moitié en dehors, on se croit dans un sous-marin. Cette luminosité et la couleur que prend le corps dans l'eau sont étranges.

Dorénavant, il n'y a plus de recul possible et j'en suis ravie. C'est extraordinaire de tout quitter et de foncer vers l'inconnu, vers une nouvelle existence. Nous amorçons notre tour du monde.

19 septembre 1991

Quelle merveille de pouvoir plonger dans l'océan dès mon réveil, afin d'effacer la chaleur humide du sommeil. C'est un peu moins amusant quand mes parents se font expulser, en allant acheter du pain avec l'annexe[3] : nous devons avoir une carte de membre de ce club « sélect » pour être autorisés à marcher sur le quai et acheter des vivres. De plus, notre petit labrador noir de trois mois n'est pas le bienvenu : les chiens sont strictement interdits. Ces gens ont l'air si antipathiques avec leur complet et leur cravate par des chaleurs de 32 °C, je comprends pourquoi ils n'aiment pas les petites bêtes. On s'en fout ! Ils ne vivront jamais d'aussi belles aventures que nous en buvant du scotch sur leur yacht de 100 000 $ US, quand ils ne sont pas occupés à gagner toujours plus de fric pour payer la maison et la piscine creusée.

Vers midi, nous avons continué notre route, toujours à moteur car le vent est absent. Quelques dauphins sont venus nous rendre visite. Ce n'est pas difficile de barrer[4] : la barre est retenue par un sandow[5] et tient bien le cap. Il n'y a que les ponts qui nous font serrer les dents à chaque fois, car nous avons la crainte injustifiée que le mât aille se fracasser sur le béton en passant dessous. Vers 14 h 45, nous avons mouillé près d'une minuscule île déserte. Au coucher du soleil, nous nous y sommes rendus en annexe. Quelle vision époustouflante de *L'Échappée Belle* avec son élégante silhouette, se détachant sur les tons violacés et orangés du ciel embrasé. On aurait dit que ses mâts étaient des squelettes se consumant sur un bûcher. C'était une vision de fin du monde, terrible et magistrale. Le temps semblait en suspens, trop impressionné pour reprendre son cours...

20 septembre 1991

Journée en noir et gris. Nous sommes restés au mouillage, alors je me suis tapé une journée chimie/anglais. Eh oui ! ce n'est pas vraiment les vacances, je dois terminer les secondaires quatre et cinq par correspondance. Je préfère qu'il en soit ainsi : je n'aimerais pas tout rattraper en revenant à terre. Entre deux plongeons, il faut faire l'effort. Quand j'en ai marre, je mets mon masque et je vais sous l'eau, je tourne dans tous les sens jusqu'à ce que je n'aie plus d'air. Je me laisse remonter lentement à la surface et je recommence. J'ai vu des dauphins et leur présence a fini de chasser ma mauvaise humeur. Ils sont partis quand j'ai voulu les approcher. Ils ont une longueur d'avance sur moi dans l'art de nager !

Autre moyen de m'isoler : je m'assois à la proue. Avec les sacs de voile suspendus à l'étai, je suis coupée du reste du voilier. C'est une bonne chose, car je ne peux pas toujours aller me balader à terre quand je veux être seule. J'aimerais parfois que mes parents m'oublient, pouvoir sortir de mon mutisme seulement quand j'en ai envie. Qu'est-ce qu'ils me disent à part « fais ceci », « fais cela », « va promener le chien » ou bien « regarde ceci », quand ils voient quelque chose de beau, alors que c'était sublime d'observer en silence ? C'est vrai qu'on rigole parfois, mais vingt-quatre heures sur vingt-quatre à trois, c'est difficile. Bof ! Cela fait partie des compromis !

21 septembre 1991

Journée pénible !

Lever tôt : nous ne voulons pas arriver de nuit au prochain mouillage. C'était affreusement chaud. Pas le moindre souffle d'air. Après avoir installé le taud[6], c'était mieux. Il a fallu s'amarrer à un corps-mort[7] payant. Une première pour l'équipage ; tout s'est bien passé. On a vu quelques bancs de dauphins.

Il m'arrive souvent de penser à mes amis de Montréal : c'est la récréation, ou le dîner, ou le changement de cours, ou bien ils sont chez Sophie, ou au cinéma. Ça me fait tout drôle. J'aurais besoin de copains. Il faudra que je m'y fasse. Être seule, ce n'est pas si mal. Je peux pleurer, ruminer tranquillement mes idées noires ou écouter de la musique pour oublier mes chagrins.

22 septembre 1991

Nuit presque blanche. À minuit, nous étions debout tous les trois en train de nous gratter. Quelle joie ! Des insectes minuscules, qui passent à travers les moustiquaires et piquent comme des dizaines d'aiguilles, avaient envahi le voilier. L'horreur totale ! On s'est quand même recouchés avec un centimètre de citronnelle sur le corps, mais rien à faire. Soit dit en passant, ces moustiquaires à velcro qu'on enlève et installe au besoin sont très utiles... (Quand on a affaire à des moustiques normaux bien sûr !)

Au petit matin, nous avons levé l'ancre. Adieu pour toujours Vero Beach. Encore du moteur : le chenal est trop étroit pour naviguer à voiles. Quelques dauphins nous ont rendu visite. Vers 16 h, nous avons mouillé avec difficulté. L'ancre n'a pas voulu piquer dans cette espèce de boue noire et nous n'étions pas certains de la profondeur. La nervosité a causé de petites frictions au moment du mouillage. Comme ma mère et moi sommes à la proue pour descendre l'ancre et que mon père s'occupe du moteur à la poupe, nous devons crier à tue-tête pour nous entendre et cela nous rend encore plus agressifs les uns envers les autres.

En faisant le plein, mauvaise surprise : le tuyau d'alimentation du réservoir de diesel fuit. Mon père avait fait une réparation temporaire, mais elle n'a pas tenu. Demain, nous nous arrêterons à la ville la plus proche. L'ancien propriétaire du voilier n'était pas un bricoleur génial. Le tuyau fait de nombreux méandres et il est plié à plusieurs endroits, en plus d'être constitué de sections de diamètres différents.

23 septembre 1991

En levant l'ancre : surprise ! Elle était enrobée de deux centimètres de boue tout comme la plus grande partie de la chaîne. Il a fallu la nettoyer mètre par mètre, dans deux récipients, et 25 mètres, c'est long ! Et puis, tout le pont était recouvert de cette saleté. On était au-dessus de câbles électriques sous-marins, toute la nuit nous avons entendu des grésillements.

Encore du moteur jusqu'à une marina où nous avons mouillé dans de la belle boue, comme hier. En allant nager, mon père a découvert qu'il y a à peine deux mètres d'eau sous le voilier. Le tirant d'eau est de deux mètres dix. Pas étonnant qu'on touche le fond. La situation revient à la normale avec la marée haute. Pour réparer une fuite d'eau, il faut commander un tuyau. On devra attendre ici. Quelle chance ! Il y a encore de ces bestioles noires qui piquent. Le seul réconfort, c'est qu'on peut faire la première lessive à l'eau douce depuis notre départ.

24 septembre 1991

Journée d'attente pour le tuyau qui doit arriver demain. Il faut changer le conduit d'eau douce qui va du pont jusqu'aux réservoirs. Aujourd'hui, chimie et anglais. Et quel événement : un lavage de cheveux ! C'est une activité banale en temps ordinaire, mais elle devient un cadeau sur le voilier.

25 septembre 1991

Journée de réparations. Nous avons une nouvelle ligne d'entrée de diesel et une nouvelle ligne d'entrée d'eau douce. C'est plus sécuritaire. J'en ai profité pour visiter Port Salerne avec mon chien. C'est un petit village en développement, réputé pour sa pêche. Nous partons à la marée haute demain, car à marée basse, nous sommes plantés dans la boue. Corvée d'eau potable avant le dodo.

26 septembre 1991

Journée de malheurs ! ! !

Tout d'abord, j'ai été réveillée en pleine nuit par une douleur épouvantable, trempée, au bord de l'évanouissement. J'ai cru que j'allais mourir. Les douleurs étaient intermittentes. Mes parents pensent que j'ai éliminé des pierres accumulées dans la vésicule biliaire. Je souhaite de toutes mes forces que cela ne revienne pas.

Encore une fois, nous étions mouillés sur un fond immonde. Des boues noires et nauséabondes recouvraient l'ancre et la chaîne.

Nous sommes partis avec le moteur à pleine vitesse, car la quille raclait le fond.

Une fois dégagés, nous avons nettoyé le pont couvert de boue et mon père a échappé le seau qui s'est enfoncé immédiatement dans la boue. J'ai plongé, mais impossible de le récupérer. Cela paraît idiot, mais le seau de pont, c'est un objet de première nécessité.

Par la suite, étant à l'intersection de plusieurs chenaux mal identifiés, BOUM ! la quille s'est enfoncée. Nous avons attendu que la marée monte, tout en essayant de forcer le moteur et de profiter des vagues créées par la circulation des bateaux à moteur. Malheur à leur courtoisie qui les faisait ralentir en s'approchant ! Nous avons hissé les voiles pour gîter[8], mais le vent est tombé. On aurait pu essayer d'appeler un remorqueur, mais c'est dur pour le budget. Notre plus grande crainte était que la marée redescende et que le bateau se couche. Un heureux coup du destin a permis de combiner la gîte produite par une petite brise sur les voiles avec la marée qui montait et les vagues d'un plaisancier à moteur, pour finalement nous arracher à ce piège. Que d'émotions !

Afin d'agrémenter une journée si bien commencée, la pluie tombait et nous avions dix ponts-levis à franchir. Pour couronner le tout, en mouillant à Worth Lake, j'ai ressenti une secousse, mais mes parents n'en ont pas tenu compte. Une autre secousse et ça y est, encore enfoncés dans la boue. Quelle blague ! Pourtant, nous sommes entre les bouées et la carte indique une profondeur de trois mètres. Nous nous sommes dégagés assez facilement. Une chance que nous avons un voilier en acier. Ha ! Ha ! Après avoir jeté l'ancre et vérifié qu'elle ne chassait pas[9], quel soulagement ! Après cela : souper bien mérité, courte baignade et dodo...

27 septembre 1991

Journée ensoleillée. Depuis deux jours, nous longeons un canal bordé de maisons toutes plus cossues et immenses les unes que les autres : de véritables villes réservées aux multimillionnaires. Ça me donne un haut-le-cœur de voir toute cette richesse étalée dans le seul but de projeter une image, un rêve : argent, grosses propriétés, voitures luxueuses, bateaux à moteur puissants. Sont-ils vraiment heureux ? ... cavaler comme des dingues pour en avoir toujours plus, pour arriver où ? Ce n'est même plus une vie, cette course pour l'argent et le pouvoir dans laquelle sont lancés des milliers de gens. Il ne me reste qu'à essayer de demeurer insensible à ce jeu ridicule et surtout, différente.

28 septembre 1991

Autre nuit mouvementée. Cette fois-ci, c'est mon père qui a souffert d'une crise de foie ; il s'est même évanoui.

Aujourd'hui, encore une navigation à moteur. J'ai hâte de me retrouver sur l'océan, toutes voiles dehors. Il y avait une circulation étourdissante sur l'eau. On est samedi. Je passe mes journées assise à la proue. Il y a du vent et on sent mieux les secousses de *L'Échappée Belle*. C'est ma place préférée. Le paysage est toujours constitué du même étalage de richesse. J'en suis lasse. J'ai enfin aperçu le passage vers l'océan, en entrant à Fort Lauderdale. Nous avons mouillé dans un endroit calme. Au moment de quitter le voilier en annexe, les flics marins sont arrivés, comme des Rambo avec leurs armes, nous aveuglant de leurs projecteurs. Ils ont demandé nos papiers et ordonné d'allumer les feux de position de l'annexe. Je précise que c'est une annexe à rames de deux mètres cinquante. Les feux sont importants sur les gros bateaux, car ils permettent de connaître la direction suivie par un navire (le feu vert est à tribord et le feu rouge est à bâbord) mais quand il s'agit d'une annexe, il ne faut pas exagérer ! On peut dire qu'ils étaient plutôt zélés. Ils nous ont donné une contravention et ont exigé que nous quittions ce mouillage immédiatement, ce que nous n'avons pas fait. Le premier nous aveuglait de ses lumières et l'autre crachait dans l'eau. Des fous ! L'un d'eux a même demandé si le voilier mesurait 38 pieds ou 38 mètres. Quelle perspicacité ! Comme nous étions en route pour un tour du monde et que nous étions sans adresse, ils ont laissé tomber et sont partis. C'est parfois avantageux d'être hors normes.

Nous avons créé tout un émoi, en prenant une douche avec savon et shampooing, au bord de la promenade publique. Quand, par surcroît, les promeneurs nous ont vus laver le chien, ils étaient sidérés. C'était un vrai spectacle pour nous aussi de voir ces coureurs faisant des exercices à la mode afin de vivre jusqu'à 120 ans, alors qu'ils ont l'air d'être déjà morts en dedans. Ils trébuchaient presque sur leurs lacets fluorescents, à la vue du quatuor d'hurluberlus que nous formions. Quelle rigolade !

Je suis de plus en plus heureuse. Le soir, j'ai un sentiment de détachement et même d'oubli vis-à-vis de l'école, des amis et de tout ce qui m'a tant manqué quand je suis partie. J'y pense souvent avec joie, mais sans regret et sans envie d'y retourner. J'ai le goût de couper toutes mes attaches et de partir vers l'avant, vers demain. Cependant, il me reste de bonnes amitiés et, si je reviens, je serai heureuse de ne pas être seule. Pour l'instant, j'ai envie de retrouver le Venezuela, les îles, les poissons, l'eau limpide et peut-être Valentin (le mousse bronzé et musclé qui était sur le voilier que nous avions loué l'été précédent). Tout ce à quoi j'ai rêvé au cours de la dernière année.

29 septembre 1991

Déjà trois mois depuis le départ. Changement de mouillage vers une petite baie à quelques centaines de mètres : loi oblige. Pas facile de se loger dans un espace restreint, entre deux voiliers immobilisés sur deux ancres. J'ai hâte de quitter ce pays. J'ai envie de dépaysement. Je ne peux même pas me promener sur la plage avec mon chien : c'est interdit, de même que sur la promenade. Amende : 500 $ US. Nous avons refait le coup des douches publiques. Si la température est favorable, nous prendrons le large dans 48 heures. ENFIN !

30 septembre 1991

Journée de mauvais temps. Vent du nord-est jusqu'à 25 nœuds[10]. Heureusement, l'ancre tient bon. Épicerie énorme. École. Après souper, malgré la pluie, je suis allée marcher sur la plage. Je suis fascinée par le déchaînement de la nature, le grondement incessant des vagues écumantes déferlant sur la plage, la pluie fouettant le visage, le vent furieux qui siffle et retourne les feuilles des palmiers comme des chevelures de sorcières. Ajouté à l'absence de tout autre présence humaine, ce temps lugubre donne le frisson. Nulle part ailleurs on ne peut éprouver ce sentiment.

En revenant vers l'annexe, il y avait une ambulance et deux autos très accidentées au coin d'une rue. Étonnée, j'ai vu mon père dégoulinant s'avancer vers moi. Au bruit du choc et en voyant les feux de l'ambulance, mes parents, fous d'inquiétude, ont pensé qu'il s'agissait de moi. Mon père a plongé du voilier et nagé jusqu'au rivage à toute vitesse. Ma mère s'est mise à vomir. Touchant !

1er octobre 1991

Attente, tracé de routes et prévision d'éventuels refuges en cas de mauvais temps. Aucun souffle de vent. Chaleur humide et suffocante.

Au coucher du soleil, le ciel était merveilleux. On aurait dit que quelqu'un avait découpé des nuages pour en faire un théâtre d'ombres chinoises, qu'il les avait collés sur le ciel déjà nuageux et avait placé derrière une lampe diffusant une lumière rouge et brutale. Les nuages superposés se détachaient en relief pour représenter une esquisse de carte du monde. C'était divin !

2 octobre 1991

Achat de diesel, dernière lessive. Départ demain ? Il faut un vent sud-est pour 48 heures afin de traverser le Gulf Stream. Je ne tiens plus en place.

3 octobre 1991

Corvée d'eau, dernière épicerie, programmation du GPS[11]. Demain, c'est le moment tant attendu, le vrai point de départ de l'aventure. Je n'ai aucune crainte. Le voilier est solide, nous apprenons vite. Se lancer vers l'inconnu et goûter cette sensation terrible et fantastique de ne plus voir la terre, d'être seuls maîtres de nos vies, libres, sans lois ni règlements, sauf ceux de la mer et du vent. Enfin, hisser les voiles comme les ailes blanches d'un grand oiseau qui prend son envol, fendre les vagues ou se laisser porter par elles, lutter contre les éléments, mais s'en faire aussi des alliés puissants, vivre au gré de leurs pulsations, aller toujours plus loin, se dépasser, et rêver, rêver...

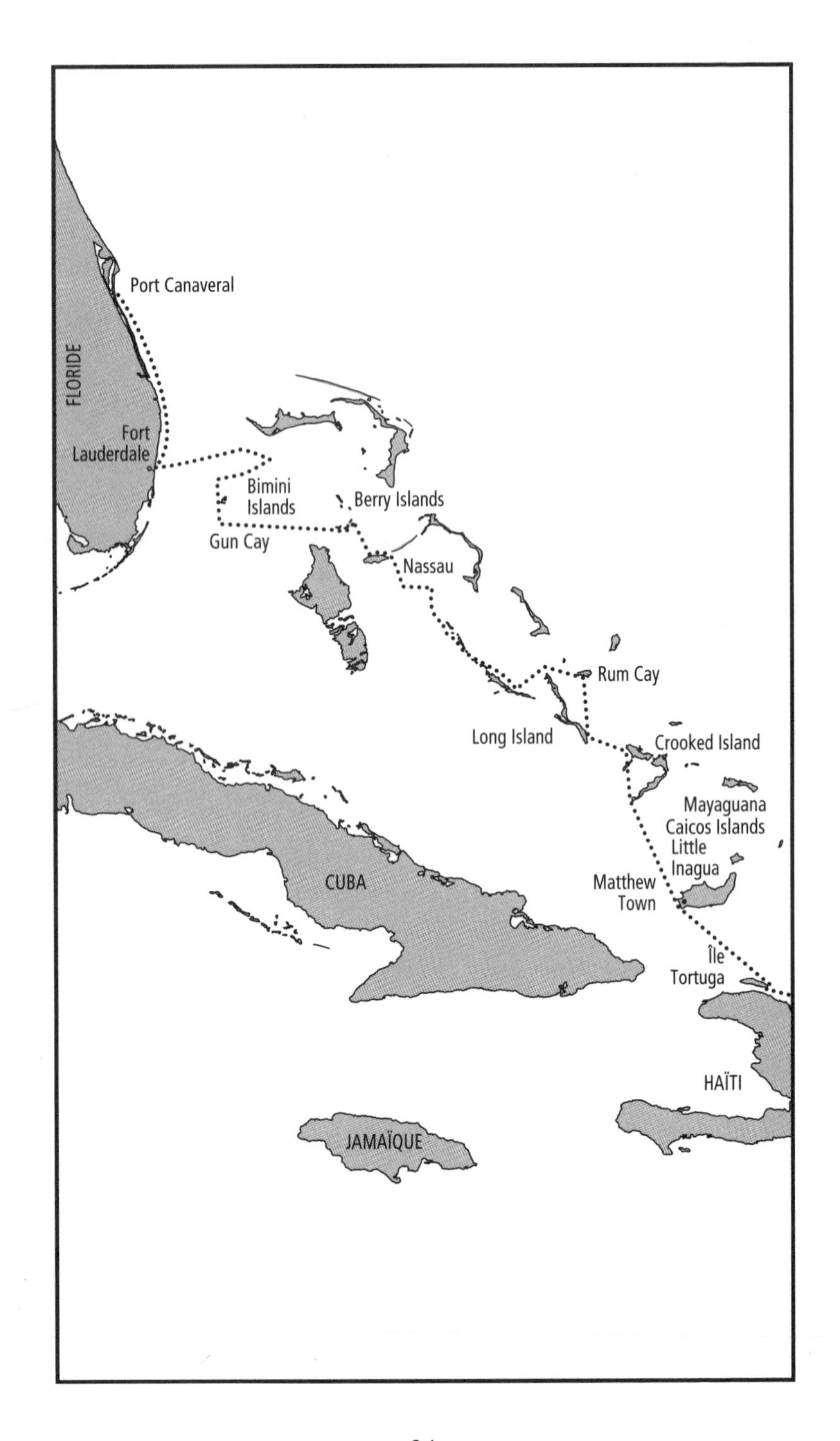
Port Canaveral
FLORIDE
Fort
Lauderdale
Bimini
Islands
Gun Cay
Berry Islands
Nassau
Rum Cay
Long Island
Crooked Island
Mayaguana
Caicos Islands
Little
Inagua
Matthew
Town
CUBA
Île
Tortuga
HAÏTI
JAMAÏQUE

Troisième chapitre

Les Bahamas

4 octobre 1991

Départ vers 10 h. Passage de deux derniers ponts, puis nous avons atteint l'océan. Quelle teinte époustouflante ! J'avais déjà vu de l'eau turquoise, bleu pâle, bleu foncé, mais jamais d'une si grande beauté. Je ne peux décrire cette couleur : c'est celle que le peintre de génie sera toujours chagriné de ne reproduire que pauvrement. Les vers des plus grands poètes ne sauront jamais lui rendre toute sa pureté, car elle est perfection. Je pourrais parler d'un violet intense, mais c'est trop peu. J'en garde le souvenir dans mes yeux, comme un merveilleux trésor, petit morceau de paradis dans ce monde parfois si terne et si gris.

À notre grand étonnement, le courant était plus fort que tout ce que l'on nous avait dit. Il fallait tenir le cap à 170° sur le compas, pour une direction réelle de 95°, ce qui nous a fait croire que le GPS fonctionnait mal. J'ai barré un moment, puis quand les notes de la *Cinquième* de Beethoven ont résonné dans mon baladeur, j'ai vu qu'il n'y avait que de l'eau tout autour, plus la moindre trace de terre. Plus tard, c'était *La chanson des vieux amants* ou *J'arrive* de Brel, sous un ciel éclaboussé d'étoiles ; j'ai cru défaillir tant l'émotion était forte, magique, divine. J'étais à la barre d'un immense navire, chevauchant les vagues furieuses et gigantesques, tout cela au ralenti. Mon cerveau ne percevait plus la réalité. J'en avais le souffle coupé, mon cœur voulait éclater. J'aurais voulu crier, chanter à tue-tête, mais comme je n'étais pas seule, j'ai préféré garder pour moi ces sentiments, ayant peur de tout gâcher avec les mots. Un jour, je m'en suis fait la promesse, je ferai une traversée en solitaire. Je veux connaître l'ivresse de la solitude dans cette immensité et la sensation de n'avoir d'autres ressources que les miennes. J'aimerais naviguer sans appareils électroniques, me sentir minuscule face aux éléments déchaînés, lutter contre la fatigue et l'épuisement pour savourer la fierté d'avoir réussi. Enfin, il s'agit d'un de mes multiples rêves. La nuit nous recouvrait progressivement de son voile sombre. Le paysage était sublime et terrible à la fois, le ciel si gris, obscurci par de gros nuages. La mer, elle, semblait d'un noir d'encre plus profond, et parfois, quelques éclaircies venaient embraser le firmament. L'idée de traverser le triangle des Bermudes m'amusait : ce mystérieux triangle qui, selon divers écrits, abrite extraterrestres, vaisseaux spatiaux, forces du mal, énergies meurtrières, monstres marins, portes pour d'autres dimensions, anciens mondes engloutis et j'en passe. Quel lieu fantastique pour une imagination fertile !

À la fin de mon quart, je me suis allongée sur le roof, mais je ne pouvais trouver le sommeil. Mes parents ont dû tirer[12] des bords pour pouvoir maintenir un cap à voiles et moteur. J'étais attristée par le bruit du moteur, j'aime tellement le silence de l'océan, mais j'ai dû me rendre à l'évidence : avec ce courant de trois nœuds et le peu de vent, nous aurions culé[13].

Puis, le jour s'est levé, avec un soleil aveuglant, sur nos yeux lourds de sommeil et nos membres épuisés. La vitesse était d'à peine un nœud. Je commençais à avoir la nausée et ma mère souffrait du mal de mer depuis 24 heures. Les nerfs étaient tendus et la bonne humeur envolée. Pour atteindre la ville de Nassau, il aurait fallu au moins 18 heures de navigation. Considérant notre état lamentable et l'incertitude du temps, mes parents ont changé la route. Nous traverserons les Bahamas par sauts de puce, d'île en île. Nous avons mis le cap sur Isaac Light, que nous apercevions depuis six heures, sans pouvoir dépasser ce phare. Isaac Light est une petite île surmontée d'un phare rouillé encore en opération et de quelques petites maisons de pierres en ruine. Sans être convaincus que le mouillage tiendrait, nous avons pris le risque d'y aller. Trois heures plus tard, après avoir utilisé nos dernières forces pour jeter l'ancre, nous nous sommes offert une petite baignade et un profond sommeil malgré les vagues qui nous ballottaient de tous les côtés. Ce fut une première expérience fort éprouvante.

Un peu plus tard

Une grosse décision vient d'être prise. Comme la saison des ouragans tire à sa fin, au lieu de nous diriger vers le Venezuela à toute vitesse, nous nous y rendrons en passant par toutes les îles : Haïti, République Dominicaine, Porto Rico, Îles Vierges, Antigua, Saint-Martin, Guadeloupe, Martinique... Nous prendrons le temps de plonger, nager, observer les coraux. Aucune limite de temps. Pourquoi se presser finalement ? De plus, nous manquons d'expérience en navigation et nous ne sommes pas près pour de longues distances. Nous l'avons bien vu cette nuit.

6 octobre 1991

Navigation facile et agréable, voile et moteur, car nous devions arriver de clarté à l'île Bimini. Nous n'avions pas de carte marine, seulement un vieux guide. C'est joli, mais le courant est très fort. Impossible de nager. C'est merveilleux de voir le fond de la mer dans les grandes profondeurs. Enfin, une nuit calme.

Le coucher de soleil était fabuleux ! À l'ouest, on aurait cru l'astre solaire rouge de honte. Au nord, l'horizon avait la couleur du blé, comme si on avait renversé du miel pour couvrir tout ce gâchis qu'est la terre. Cela aurait pu être la chevelure, tombant sur le sol, d'une géante s'éloignant lentement. Au sud et à l'est, le ciel se confondait avec l'océan dans une masse sombre et effrayante, d'un bleu gris très lourd. Ce voile de velours était éclairé par la pâle lueur émanant de la lune, triste visage regardant avec chagrin vers sa cousine malmenée par les hommes.

7 octobre 1991

Nous avons maintenant tous les papiers nous autorisant à descendre sur le territoire bahamien. Je ne connais encore rien d'autre qu'une petite île inhabitée sur laquelle j'ai fait courir mon chien. Il n'a pas le droit d'aller en terre habitée avant l'âge de six mois. C'est une loi bizarre. Je suis demeurée des heures à paresser dans 30 centimètres d'eau. Le paradis ! C'est étonnant de n'avoir pas planté la quille dans les hauts-fonds, car il y en a partout. Même l'annexe ne passe pas. Le voilier repose d'une façon étrange. Je crois que le courant et le vent ont la même force et le gardent immobile et perpendiculaire à la chaîne. D'ailleurs, celle-ci geint de façon indéfinissable. Nous croyons chasser à tout instant. Il faudra nous y habituer.

Le moteur fait encore des siennes. L'hélice ne pousse pas en marche avant, et elle fonctionne parfaitement en marche arrière. Mon père se tape le manuel de mécanique pour essayer de trouver le problème. Il n'a jamais fait de mécanique, mais il s'est dit qu'il ne pouvait pas être plus nul que le mécano de Port Canaveral. Croisons les doigts.

J'oubliais une anecdote : en allant sur la petite île, nous avons évité de peu une collision avec un hydravion. Ouf ! il suffisait de quelques dizaines de mètres. Avec sa vitesse, il n'aurait pu changer de direction ou freiner. Une collision entre une annexe et un hydravion aurait été un fait divers fort amusant...

8 octobre 1991

Le vent du nord est violent ; j'ai passé la nuit à sursauter au moindre bruit, craignant que l'ancre ne décroche et que le bateau aille s'échouer dans les hauts-fonds, poussé par le courant et le vent. La journée était grise et pluvieuse. Nous sommes allés à terre. J'adore découvrir un nouveau pays, il y a tant de sujets d'émerveillement. Ici, les gens sont souriants et nous saluent de façon naturelle. Avec quelle facilité nous pouvons engager la conversation ! C'est tellement différent des grandes villes où un bonjour nous fait passer pour un fou ou quelqu'un ayant de mauvaises intentions. Même les jeunes de mon âge agissent avec gentillesse contrairement à ceux que je connais au Québec : adolescents boudeurs qui prendraient ces manifestations, pourtant normales, avec méfiance et indignation.

Une plage déserte superbe longe tout l'autre côté de l'île. Fleurs, plantes et arbres tropicaux couvrent le moindre recoin, formant un bouquet coloré d'où surgissent d'exquises odeurs. Ils camouflent, à certains endroits, les derniers vestiges d'un temps révolu où les riches touristes, dont Ernest Hemingway, venaient se prélasser dans cette île paradisiaque et pêcher des espadons ou autres poissons gigantesques. Piscines vides qui s'écroulent, hôtels abandonnés, escaliers conduisant à des monceaux de débris, demeures barricadées où ne résonnent plus les rires et le tintement des glaçons dans les verres de scotch. Pourtant, malgré ce vide désolant, on entend presque le murmure des conversations mêlé aux éclaboussements de la piscine, sous les éclairages tamisés du bar sur lequel sont alignés alcools et liqueurs. Ce n'est que le fruit de mon imagination, mais je ressens un malaise indéfinissable devant ces bribes de vie disparue.

J'ai ressenti le même vertige dans la maison d'Hemingway : murs recouverts de photographies en noir et blanc du personnage à tous les âges et de ses nombreuses excursions de pêche, pièces maintenant désertes qui ont accueilli jadis diverses célébrités, lieux où sont enfouis à jamais les mystères ou la banalité d'une existence, et où ont été écrits des livres merveilleux.

9 octobre 1991

Journée « eau douce ». Aujourd'hui, ce fut notre fête. Une pluie diluvienne s'est mise à tomber et nous en avons ramassé 100 litres plus quelques seaux avec le récupérateur du taud. Nous étions comme des enfants, c'était très drôle. Shampooing, savon, même le chien y a eu droit. Disons que la douche est assez vaste ! C'est fantastique d'apprécier des choses aussi naturelles qu'un orage. Lorsque je retournerai vivre à terre, je me contenterai de peu.

Le plus drôle, c'est quand ma mère a fait le lavage de nos vêtements dans l'annexe remplie d'eau de pluie. Les pêcheurs avaient les yeux arrondis par l'étonnement. La scène devait être cocasse : ce n'est pas tous les jours qu'on voit des gens faire la lessive dans une chaloupe. C'est la vie de marin. Nous sommes retournés sur l'île déserte. L'annexe était presque superflue tant les hauts-fonds sont nombreux. Nous avons reçu les premiers visiteurs à bord de *L'Échappée Belle*. Des gens que nous avons connus hier et qui repartaient ce matin vers la Floride. Avec le mauvais temps, ils ont fait demi-tour. L'homme est directeur d'une espèce de secte rassemblant des équipages de voiliers qui se réunissent à bord d'un bateau pour chanter des cantiques religieux en s'accompagnant à la guitare. Ils vivent six mois par année sur leur voilier, en prêchant. Je suis toujours étonnée face au grand nombre et à l'étrangeté des groupes religieux. Je comprends mal ce besoin des êtres humains de toujours se regrouper, de former des clubs, des cercles, des sectes. J'en déduis qu'ils ont besoin d'être plusieurs à penser la même chose. Peut-être que la marginalité les effraie et qu'ils ne peuvent envisager une existence sans buts communs.

10 octobre 1991

En quittant le canal entre les îles Bimini, la quille s'est enfoncée dans le sable. C'est là que les frictions ont commencé. Papa gueulait à la barre afin qu'on le guide pendant que maman et moi tentions de remonter les deux ancres qui pendaient encore dans le vide et heurtaient la proue. Il y avait beaucoup de vagues ; maman s'est fâchée, ce qui n'a rien arrangé. Dans ces moments-là, je me fais petite et je me marre. Je me fous qu'ils s'engueulent. Quand tout est terminé, papa me demande pourquoi maman est de mauvaise humeur. Il ne s'en aperçoit jamais quand il est exaspérant. Il ne voit pas que ses cris sont insupportables et injustifiés. Je suis un peu comme ça, j'ai besoin que ma mauvaise humeur éclate, mais ma mère est plus sensible à ces manifestations.

Nous sommes maintenant à Gun Cay, à 13 kilomètres de Bimini. Petite île mignonne et déserte, à l'exception d'un phare et de deux militaires. Le moteur ne démarrait plus, mais maintenant il fonctionne mieux. L'huile était sale. Je suis rassurée. C'est inquiétant de ne jamais savoir s'il va embrayer quand nous remontons l'ancre. On ne s'étonne de rien depuis que les mécaniciens de Port Canaveral, complètement incompétents, ont soi-disant révisé le moteur : un travail mal fait à un prix exorbitant. Nous étions novices dans le domaine ; ce fut un douloureux apprentissage.

11 octobre 1991

Hier, alors que nous étions presque endormis, un vent épouvantable s'est mis à hurler. Vite, nous avons enlevé le taud et les fantômes[14] sur les écoutilles, puis nous avons mouillé une deuxième ancre. Une heure s'est écoulée, dans la terrible appréhension de décrocher. Cette fois, c'était sur les récifs que nous nous serions échoués. Si cela s'était produit, je crois que nous n'aurions même pas eu le temps de démarrer le moteur avant que le voilier ne devienne une épave. Ouf !

J'ai eu droit à une belle surprise en explorant l'île aujourd'hui. Après une course dans les herbes folles, j'ai atteint une baie ceinturée de récifs, puis une petite plage. Un paysage merveilleux m'est apparu. Une immense baie de sable blond où s'étalait l'eau turquoise cristalline. Plus loin, un rétrécissement sablonneux était baigné des deux côtés par l'océan. À l'extrémité, il y avait un amoncellement de rochers sur lequel les vagues se brisaient violemment. On voyait des bernard-l'ermite par centaines. Mes parents sont venus me rejoindre et l'après-midi s'est écoulé à paresser dans l'eau. Un voilier en pièces illustrait bien ce qu'est un échouement. Demain, nous levons l'ancre.

Ce soir, je suis triste et mes larmes ont coulé malgré moi. Je pleure une vie que je ne voudrais pas retrouver et je rage de ne pouvoir vivre sans son souvenir. Qu'est-ce qui me manque de cette existence tellement idiote et ordinaire ? Moi qui me croyais si forte et détachée...

12 octobre 1991

Vers 8 h, nous sommes partis en direction de Chubb Cay, distante de 150 kilomètres. Nous avons eu plusieurs heures de belle navigation vent arrière, avec une vitesse atteignant parfois six nœuds et demi. La journée a été pluvieuse et quelques accalmies nous ont obligés à utiliser le moteur. Celui-là, il a encore un problème : il faut parfois dix essais avant qu'il ne se décide à embrayer en marche avant.

Un petit oiseau nous a accompagnés une partie de la journée. Au coucher du soleil, le paysage est devenu rose. C'était magnifique ! Puis un pâle croissant de lune se reflétant sur les vaguelettes a pris la relève. Quel merveilleux spectacle que celui de la voûte céleste impénétrable et mystérieuse ! Vers 22 h 30, nous avons jeté l'ancre en plein milieu de la mer, dans les Banks. C'est une chaîne de hauts-fonds et de récifs parfois visibles à marée basse. Sur des kilomètres et des kilomètres, la profondeur varie de deux à cinq mètres, ce qui empêche les vagues de se former. J'ai été étonnée de retrouver le petit oiseau qui était en train de voleter dans ma cabine. Je l'ai posé à l'extérieur, de peur qu'il ne se blesse, mais il est revenu. Il est tout mignon.

13 octobre 1991

C'est étrange de se réveiller en pleine mer, aucune terre à l'horizon. Mauvaise surprise : des plumes jonchaient le pont et mon chien se léchait les babines. Sa première chasse ! Nous sommes repartis à voiles, mais le vent est tombé complètement. Moteur. Ma mère en a profité pour faire du pain. Elle a utilisé une grande casserole posée sur la cuisinière à gaz (nous n'avons pas de four). Ce fut une réussite. Encore une dépendance de moins envers la société de consommation. Vers 17 h, mouillage dans une petite baie tranquille, à faible profondeur. Il y a dix centimètres d'eau sous la quille. J'ai pu observer quelques poissons et étoiles de mer avec mon masque. J'adore nager sous l'eau ; j'y resterais des journées entières. Je ne me lasse pas devant tant de vie à observer, à connaître ; c'est fascinant ! Je suis heureuse que nous ayons passé les Banks sans problème.

Il est tard. En ce moment je lis *La montagne est jeune* d'Han Suyin. Je suis ivre de ses mots, je les bois avidement, presque fébrilement tellement je ne veux en perdre aucun, mais en même temps, je suis pressée de connaître les suivants. Étrangement, ils me donnent envie d'écrire mais aussi de peindre, de sculpter, de créer une certaine magie harmonieuse qui remplit d'une force exaltante, mais apaisante aussi. Cette lecture me donne un tel bonheur et une folle envie de noircir des pages et des pages, d'écrire comme une source dont le cours n'est empêché par aucun obstacle.

14 octobre 1991

Vers 10 h, après avoir essayé de démarrer plusieurs fois, nous avons finalement levé l'ancre à voile. Le vent était bon. Par la suite, le moteur s'est décidé à obéir, et comme il fallait tirer des bords, nous l'avons utilisé : la distance pour arriver au mouillage de clarté était trop longue. J'étais en colère, mais je n'ai pas mon mot à dire, ne connaissant rien en matière de vitesse et de direction de vent. À ma grande joie, vers 13 h, le vent a tourné. Nous avons gravi un échelon dans l'échelle de notre expérience : de deux à trois mètres au départ, les vagues sont passées à quatre et parfois cinq mètres. Nous naviguions au près serré[15]. La synchronisation faisait défaut au sein de l'équipage, mais il faut dire que l'apprentissage des virements de bord par force 6[16], c'est du sport. Pour atteindre le mouillage, nous n'avions qu'un dessin fait à la main, dans un guide vieux de 13 ans. Pas de pépin. L'île déserte appartient à un Américain. Pour couronner la journée, la corde de l'annexe s'est coincée dans l'hélice. Actuellement, il y a un orage avec de fortes rafales venant du seul côté qui n'est pas protégé. Nous sommes bien proches du rivage, mais l'ancre tient bon et une deuxième est posée au fond pour plus de sécurité.

L'aspect positif de nos erreurs lors des manœuvres, c'est que l'apprentissage est rapide.

15 octobre 1991

Quelle journée éprouvante ! Hier, le propriétaire est

venu nous interdire d'aller à terre. Il est revenu aujourd'hui nous offrir de nous réfugier derrière son brise-lames construit avec des roches qui viennent de Jacksonville en Floride. Quelle folie ! Il nous a offert un sac de limes. Nous avions peur de bouger à cause du mauvais temps. Aussitôt après son départ, une tempête épouvantable s'est levée. C'était pire que tout ce que nous avions subi. Nous étions enfermés dans le bateau, tremblants de peur malgré nos deux ancres. Nous attendions en regardant les récifs par les hublots. J'avais peine à retenir mes larmes. Tout à coup, la terre s'est mise à défiler : l'ancre chassait. Nous devions être jolis à voir ! Puis on a ressenti une secousse. L'ancre venait d'accrocher. *L'Échappée Belle* avançait et reculait, en tirant sur la chaîne. Mon père est sorti pour démarrer le moteur, au cas où nous en aurions besoin pour soulager le mouillage. Avec des rafales de 100 km/h, je me demande s'il nous aurait été de quelque utilité. Peu de temps après, nous sommes sorties, ma mère et moi, et avons attendu. Une heure pénible s'est écoulée et le vent a faibli un peu. Ouf !

Plus tard, dans l'après-midi, nous avons tenté de mouiller de façon plus sécuritaire, car le voilier avait chassé. La quille s'est prise dans un banc de sable. Mon père et moi sommes allés poser une ancre pour tenter de nous libérer en tirant à l'aide d'un cabestan[17] (l'ancre accrochée dans le sol aurait agi comme un remorqueur). On a cessé les tentatives avant d'arracher le cabestan. La quille était encore plus profondément enfoncée. Nous avons décidé d'attendre la marée haute. Impossible de se baigner, car il y avait des milliers de méduses et, à terre, les moustiques nous dévoraient.

Quel original, cet homme ! Il fait venir du poisson congelé de Floride pour nourrir son seul compagnon, un mérou de cent kilos nommé Sam. De plus, il envisage de construire un pont entre deux îles, de même qu'une piste d'atterrissage. Il doit aussi installer des kilomètres de tuyaux, pour faire venir l'eau potable d'une troisième île.

Pour revenir à notre situation, j'ai hâte que le temps se calme. Depuis deux mois, c'est la dure école. J'espère que tout se passera bien tout à l'heure pour dégager le voilier. Ma mère vient d'aller sous le voilier. Il y a un mètre d'eau. Le temps s'écoule trop lentement.

16 octobre 1991

Vers minuit, nous sommes sortis vêtus de pantalons, de chandails et enduits d'insecticide. On a fait entrer Baloo à l'intérieur : il allait devenir fou à cause des moustiques. La quille s'est enfin dégagée après quelques efforts du vieux Perkins[18]. Le vent a tourné, nous éloignant des hauts-fonds.

Vers 3 h, nous avons mouillé une troisième ancre et à 4 h, la tempête s'est levée. La nuit était si noire que le fait de fermer ou d'ouvrir les yeux ne faisait aucune différence. Les éclairs étaient aveuglants. Dans ma cabine aux murs d'acier, le moindre mouvement de la chaîne est amplifié et répercuté ; je trouvais le temps long. L'aube et les premiers rayons du soleil étaient attendus impatiemment. Je me suis quand même endormie. À mon réveil, le vent soufflait toujours. Nous avons réussi à capter notre premier bulletin météorologique depuis Fort Lauderdale. Nous n'avions pas rêvé le mauvais temps. Nous venons d'essuyer notre première tempête tropicale. Le centre est passé sur Bimini avec des vents allant jusqu'à 210 km/h. Dans la zone où nous sommes, ils varient entre 90 et 100 km/h. Ils persisteront encore 24 heures.

Nous nous consolons en nous disant que le pire est passé. Dans le courant de l'après-midi, le vent a tourné du sud vers l'ouest. Mauvais présage : c'est la seule direction sans protection pour le voilier. Les vagues se sont formées et, malgré nos trois ancres, nous avons commencé à chasser. Dans un temps record, ma mère et moi les avons relevées. Nous nous sommes arrachés des hauts-fonds avec le moteur et avons décidé d'aller nous protéger derrière le brise-lames. Malgré toute notre attention, après quelques mètres, nouvel enlisement dans le sable, tout près d'un autre voilier arrivé la veille. La marée était haute et nous heurtions fortement le fond à chaque vague. Le gréement était dangereusement secoué. Quand la quille s'est dégagée, à l'aide des 40 forces du moteur, j'ai laissé échapper un soupir de soulagement. Mais catastrophe : l'annexe est passée sous le safran, immobilisant la barre. Heureusement, la fixation à laquelle était amarré le bout le rattachant au voilier a cédé et il est parti à la dérive. Mon sang-froid m'abandonnait petit à petit. Nous avons finalement contourné le voilier au mouillage et pris la direction du brise-lames.

Je nous croyais au bout de nos peines. Mais non, la quille a heurté à nouveau le fond alors que nous étions tout près des rochers qui font office de brise-lames. Nous avons jeté une ancre en catastrophe et l'avons remontée aussi rapidement, quand la profondeur d'eau a augmenté. Ouf ! encore réussi ; nous longions les roches et mon cœur s'est arrêté de battre. Nous devions tourner à 90° entre l'extrémité du brise-lames et une immense barge d'acier, invisible du large. On allait se fracasser ! Mais non ; la veille, mes parents avaient fait un repérage en annexe et connaissaient l'existence de cet obstacle. Manœuvre facile pour un bateau moderne, mais délicate pour cette vieille *Échappée Belle*. Pour immobiliser le voilier, nous avons jeté l'ancre. Au moins, il n'y avait pas de vagues. Par un heureux hasard, le bateau a tourné pour se placer parallèlement au quai. Nous n'avons pas eu le temps de sauter avec une amarre, alors *L'Échappée Belle* s'est mise à dériver vers le brise-lames. Mes parents m'ont demandé de plonger et de nager jusqu'au quai, avec l'amarre. Mes nerfs étaient à vif et j'avais les larmes aux yeux, craignant de me faire coincer entre le quai et le voilier. Après quelques secondes d'hésitation et sous la pression de mes parents, j'ai sauté et nous avons pu nous attacher. Enfin en sécurité !

Que d'émotions ! J'ai couru sur la plage afin de récupérer l'annexe renversée et échouée. C'est une chance inouïe qu'elle n'ait pas choisi le large en empruntant le canal à quelques mètres de là, ou qu'elle ne se soit pas brisée sur les rochers : aucune égratignure.

Enfin un merveilleux sommeil paisible pour la nuit qui vient.

17 octobre 1991

Après une baignade réparatrice, j'ai été accueillie par une mauvaise nouvelle : nous devions quitter le quai. Une autre barge allait arriver et obstruer la sortie pour plusieurs jours. Nous avons attendu la marée haute et avons pris une grande respiration avant de détacher les amarres. Pas question de retourner où nous étions. Il y avait une autre île à quelques milles : Little Harbour Cay. Nous y sommes allés et avons mouillé après de nombreux essais. Finalement, c'est un autre équipage qui nous a indiqué l'endroit : nous ne trouvions pas la profondeur adéquate.

Le vent souffle, mais je ne m'en fais plus, ou plutôt, je ne veux plus m'inquiéter, je suis trop épuisée. Je suis loin de vouloir me débarrasser de *L'Échappée Belle*, j'ai seulement hâte d'avoir un peu de bon temps. Je souris au souvenir de notre journée catastrophique d'hier. Combien de kilos de chaînes et d'ancres remontées à force de bras ? Le guindeau[19] ne fonctionne pas.

18 octobre 1991

Départ vers Nassau à 15 h. Les vagues font trois mètres. L'allure moyenne a été de six nœuds. Nous pensions atteindre notre destination au matin, mais avec cette vitesse, nous étions à 13 kilomètres de Nassau vers 21 h. Entrer au port ou non ? Grande discussion entre mes parents. Nous essayons la cape[20] pour vérifier si on peut attendre l'aube, mais c'est décidément trop inconfortable. Nous avons terminé le trajet à moteur. Très mauvaise décision, car les vagues nous ballottaient en tous sens. Vers 1 h 30, on a tenté notre chance. L'entrée du chenal était difficile à localiser : les bouées clignotantes se confondaient avec les lumières de la cité et les phares. Mouillage au pif et dodo.

19 octobre 1991

Finalement, nous n'étions pas à l'endroit prévu, mais dans le noir, comment identifier les bâtiments ? Cette fois, nous avons une carte marine. Non loin de nous se trouve le *Club Med II*. Il est hideux. On dirait une chenille robotisée avec des antennes. C'est une profanation d'appeler ce monstre un voilier.

Longue marche dans Nassau. Cette ville ressemble à n'importe quelle grande capitale : bruyante et étourdissante, avec des boutiques luxueuses et aussi quelques échoppes offrant des souvenirs bon marché ; des touristes avec des caméras et des appareils photos en guise d'yeux. Je ne supporte plus cette effervescence déroutante. Je n'ai qu'une envie, regagner le calme de *L'Échappée Belle*. On ne retrouve nulle part la chaleur et le sourire lumineux des gens des petites îles comme Bimini. C'est vrai que je n'ai vu que la façade de Nassau, le piège à touristes. Au cœur de l'île, c'est peut-être différent.

Je ne comprends pas le but de prendre des vacances sur ces gros bateaux de croisière qui remplissent le port. Il n'y a pas de plage à Nassau, seulement un carré de sable et, en plus, l'aire de baignade est délimitée par des filets. Mauvaise surprise au retour : nous avions attaché l'annexe devant un restaurant, ce qui n'était ni encombrant ni disgracieux, mais quelqu'un avait scié le cadenas. Elle était retenue par le seul poids de sa chaîne. Geste incompréhensible, mais significatif. Pas de fric, pas bienvenu. Nous changeons de mouillage pour nous rapprocher de la marina. Nous aurons besoin de diesel et d'autres articles pour le moteur. J'ai hâte de quitter ce lieu. La musique joue à tue-tête. Vivement les îles désertes !

20 octobre 1991

Changement de mouillage devant une autre marina qui accepte les annexes. Toutes les autres mentionnent qu'elles coupent les chaînes. Sympathique, non ? Quel bel accueil !

21 octobre 1991

Vidangeage d'huile du moteur, achat de cartes, lavage et douche. Oh merveille ! Puis un peu d'épicerie. Le coût de la vie est très élevé.

22 octobre 1991

Enfin, on prépare la route sur une vraie carte. En revenant des courses, nous nous sommes ridiculisés. L'annexe était attachée au quai. Il y avait au moins un mètre de dénivellation entre le quai et l'annexe, alors c'était difficile d'y descendre. Ma mère et moi, nous nous sommes assises à l'arrière avec les sacs de provisions. Mon père est descendu à son tour, mais le devant de l'annexe est passé sous le quai. Mon père s'est donc déplacé vers l'arrière et à cause de ce poids supplémentaire, l'annexe s'est mise à prendre l'eau, et en quelques secondes elle s'est remplie et nous avons chaviré. Il fallait voir la scène : mon père à quatre pattes sur l'annexe renversée, ma mère et moi, dans l'eau jusqu'au cou avec les provisions sur le dos. Heureusement que le ridicule ne tue pas. Un attroupement s'est formé et les dîneurs assis à la terrasse du restaurant rigolaient. Quelques personnes prises de fous rires nous ont aidés, et, comble de maladresse, en nous réinstallant à bord, j'ai encore fait entrer de l'eau par l'arrière. Heureusement, une âme charitable a retenu l'avant de l'annexe. Nous sommes repartis vers le voilier, mon père en colère et nous, écroulées de rire. Chavirer en annexe, quels marins ! Si j'avais pu, je me serais enfuie de Nassau à la minute même.

Le vent a soufflé toute la nuit avec force, ce qui m'a un peu inquiétée. La journée fut plutôt calme mais, dans la soirée, le temps s'est détérioré. Nous voulions aller porter une deuxième ancre avec l'annexe, mais cela s'est mal terminé. Nous nous sommes approchés de la proue pour que ma mère nous descende une Danforth[21] avec sa chaîne. L'annexe était difficile à manœuvrer ; les vagues nous précipitaient sur la coque. Nous sommes parvenus à nous éloigner pendant que ma mère laissait filer l'aussière[22]. Nous dérivions, car le courant était fort. Tout à coup, l'une des bases de rame a cédé. Mon père a largué le plus vite possible chaîne et ancre, afin qu'on ne chavire pas. Nous avons eu de la difficulté à revenir au voilier. J'étais mal installée pour ramer sans fixations.

Nous avons chassé de quelques mètres, ce qui est beaucoup, quand les autres bateaux sont si proches de nous. Mon père soulageant avec le moteur, j'ai remonté les deux ancres, aidée de ma mère. Nous avons mouillé à nouveau avec une CQR. Elle n'a pas accroché. Reprise. J'ai dû fournir un trop gros effort car mon cœur s'est mis à battre très fort et j'avais du mal à respirer. J'ai réussi à me calmer, mais je suis déçue de moi. J'avais du mal à me contrôler, les larmes aux yeux et les nerfs à vif. Pourtant, il n'y avait pas de quoi. Je me suis endormie très tard, à demi rassurée.

24 octobre 1991

Afin de mieux profiter de nos nuits, nous avons changé de mouillage. Je deviens paranoïaque : j'ai suggéré de doubler l'aussière au cas où la première céderait.

25 octobre 1991

Promenade dans Nassau. La météo n'est pas favorable.

26 octobre 1991

Les vagues commencent à diminuer au large. Départ demain. C'est pénible d'être obligée d'attendre. Je trouve le temps long.

27 octobre 1991

Toujours à Nassau ; la température se gâte.

28 octobre 1991

Je n'ai pas dormi, nous roulions trop. Départ encore reporté à demain. D'ici, on voit les vagues se briser et monter à des hauteurs effroyables par-dessus les rochers. Un voilier a quitté le mouillage, mais il est revenu après quatre heures, en difficulté.

29 octobre 1991

Une autre mauvaise nuit avec du roulis. Lever à 5 h 30. La météo annonce encore des vagues de deux mètres avec des vents de 25 à 30 nœuds. La température des derniers jours est causée par une tempête tropicale nommée Grace. Elle se dissipe sur les Bermudes en ce moment. Nous devons traverser une zone de hauts-fonds et les vagues nuiraient à la visibilité. De plus, le mouillage de la prochaine destination offre encore moins de protection. Pour la première fois, on distingue parfaitement les gros moutons au large et les vagues qui se fracassent sur le brise-lames montent à la hauteur du phare. Le spectacle de cette explosion d'écume est magistral, mais effrayant. Vers 18 h, l'horizon s'est teinté de gris aux quatre points cardinaux. Vision peu rassurante. Un vent très fort s'est levé. Certaines rafales sont inquiétantes. J'en ai marre de Nassau ! ! !

30 octobre 1991

On annonce des vagues de trois mètres. Nous les voyons arriver, écumantes et ravageuses, éclatant sur le brise-lames avec plus de force que jamais. Certaines le franchissent, faisant valser dangereusement les bateaux de pêcheurs. Même les immenses bateaux de croisière perdent leur assurance. Demain, nous partons.

J'ai les larmes faciles. Je me suis disputée avec mon père pour un rien. Il s'est énervé. J'ai essayé de lui expliquer comment il est, son attitude de domination. Tout ce qu'il dit ou fait est pour lui la vérité et il ne peut s'imaginer qu'on ne pense pas comme lui, qu'on ne ressent pas exactement la même chose que lui. De toute façon, il n'y a que sa personne qui l'intéresse. Puis à quoi bon protester ? Il tourne toute opposition en dérision, il ne cherche pas à comprendre ce qu'on veut dire.

31 octobre 1991

C'est l'Halloween. L'équipage était debout à 5 h, mais nous n'étions pas rassurés par la violence de la houle. Nous pensions avoir fait une erreur en retardant notre départ, mais sur les Banks, la mer était calme ; seulement quelques vaguelettes. J'imagine que le peu de profondeur empêche la mer de se former. D'abord quelques heures à moteur, car il n'y avait pas de vent ; puis vers midi, il a fraîchi, ce qui nous permet de filer cinq nœuds à voile. J'ai eu quelques sueurs froides en voyant le fond si proche, mais aucun incident n'est à signaler. Nous sommes maintenant à Allan Cay, à 65 kilomètres au sud-est de Nassau. C'est un gros caillou hostile recouvert d'un peu de verdure poussant de façon anarchique.

En ouvrant le poste de radio, surprise : le mouillage quitté ce matin avait été ravagé par la mer. Les vagues que nous observions depuis quatre jours n'étaient pas le produit de notre imagination. La responsable est Grace, cette tempête tropicale qui agonise aux Bermudes. Aujourd'hui, ses filles rebelles ont atteint leur maximum, inondant plusieurs îles du nord des Bahamas, dont Paradise Island, site du Club Med, face à Nassau. La côte est des États-Unis, jusqu'au sud de New York, a subi des dégâts. Le point culminant a été atteint vers midi et la situation ira en s'améliorant jusqu'à samedi. La seule inquiétude vient du fait que la houle se dirigera vers le sud pour atteindre son maximum vers 3 h. Étant plutôt dans l'est des Bahamas, nous espérons ne pas être affectés. Actuellement, tout est calme. Pourvu que cela dure ! ! ! Au nombre de voiliers qui nous entourent, mouillés dans si peu d'espace, avec des hauts-fonds et des récifs, il y a un joli cimetière marin en perspective. Je vais tout de même dormir tranquille car j'en ai besoin.

1er novembre 1991

En matinée, nous avons changé de mouillage pour nous rapprocher du rivage et des coraux car le courant était très fort. En arrivant à la plage, merveilleuse découverte : nous avons été accueillis par une bande d'iguanes. L'île est une réserve naturelle pour cette espèce en voie d'extinction. C'est impressionnant d'en voir un si grand nombre tout près de nous. Ils sont tellement peu farouches que l'un d'eux m'a pincé un bras. Je leur ai donné des morceaux de pain et du saucisson. Ils venaient à quelques centimètres et se chamaillaient pour la moindre parcelle de nourriture. Je n'osais pas les faire manger dans ma main, craignant que l'un d'entre eux confonde mon doigt avec une belle bouchée de viande fraîche. Leur immobilité est étonnante. On croirait qu'ils sont empaillés. Cette expérience me laissera un merveilleux souvenir.

Ensuite, j'ai mis mon tuba et mon masque. Il y avait quelques bancs de poissons et même un barracuda d'un mètre et demi. Je ne l'ai pas vu, mais mes parents se sont laissés surprendre par cette bête impressionnante. La densité des bancs de poissons est moins élevée que celle que j'ai déjà vue au Venezuela, mais je suis toujours émerveillée par cet aquarium naturel. Il y avait des fosses très profondes me donnant l'impression de survoler des montagnes sous-marines. C'était de toute beauté ! Ensuite, promenade sur l'île parmi les iguanes ; ils sont plus sauva-

Les iguanes d'Allan Cay, Bahamas.

ges que ceux de la plage. Retour au coucher du soleil, affamée, assoiffée, mais la tête pleine d'images et de sensations remarquables. Dans la soirée, visite d'un autre équipage. Il est parfois agréable de rencontrer des gens.

2 novembre 1991

Autre journée de paresse à nager et à observer les merveilles de Neptune. Au retour, nous pensions que l'ancre avait chassé, alors nous avons mouillé de nouveau. Erreur : la marée haute avait recouvert le sable, cachant notre repère. Manœuvre idiote et inutile. Ce matin, le courant nous a presque emportés vers le large, alors que nous ramions pour aller pêcher des conques. Nous avons eu de la difficulté à revenir au voilier. J'ai eu un peu peur. Les iguanes étaient encore au rendez-vous.

3 novembre 1991

Lever à l'aube pour naviguer. Nous avons parcouru 74 kilomètres dont la majeure partie à voile avec une vitesse moyenne de six nœuds et demi. Nous avons terminé à moteur ; le coucher du soleil approchait et nous n'avions pas le temps de tirer des bords avec ce vent debout[23] pour tenir le cap final. Nous sommes à Fowl Cay : c'est une petite île dans l'archipel des Exumas.

4 novembre 1991

Mes parents ont encore croisé un barracuda quand ils sont allés nager pendant que je faisais mes devoirs. Je l'ai aperçu du pont du voilier. Nous sommes partis à midi pour un autre mouillage, situé à 18 kilomètres de Fowl Cay, entre Big Major Cay et Little Minor Cay. Quatre heures de navigation à moteur, au ralenti, entre les hauts-fonds et les rochers à fleur d'eau. Je suis restée à la proue pour surveiller. Nous avons touché seulement à l'arrivée. Hi ! Hi ! Trois dauphins nous ont suivis quelques minutes. J'ai pu les observer à ma guise. Comme ils sont beaux et agiles !

Plus le temps s'écoule, plus j'apprécie ma nouvelle existence. Deux choses me manquent pourtant un peu : le théâtre et la musique. Depuis l'âge de quatre ans, j'ai toujours joué d'un instrument : violon, piano, flûte traversière puis saxophone. De plus, j'ai chanté dans plusieurs chorales. L'année dernière, j'ai commencé l'étude de la contrebasse dans le but d'entrer dans l'orchestre symphonique de l'école et de participer à une tournée en Europe. Ce projet a été annulé par notre départ.

Cependant, nous avons à bord deux violons, une flûte traversière, la guitare de mon père, toutes les sortes de flûtes à bec et un synthétiseur. Pour le théâtre, j'ai apporté plusieurs pièces classiques afin de travailler un peu. Et si le goût de peindre l'emporte, pinceaux et aquarelles abondent. Sur *L'Échappée Belle*, les arts sont loin d'être négligés.

Le mouillage est très joli. Forêt dense et basse d'un côté, plage de l'autre. Des dizaines d'îles inhabitées sont visibles de part et d'autre.

5 novembre 1991

Aujourd'hui, nous voulions visiter les cavernes ayant servi de décor pour un film de James Bond avec Sean Connery. J'en ignore le titre mais il s'agit d'un savant fou voulant faire sauter la planète. Nous avons tenté de traverser l'île pour les rejoindre, mais il a été impossible de se frayer un chemin à travers la végétation touffue. Nous avons rebroussé chemin et longé l'île, tantôt marchant sur les récifs, tantôt dans l'eau jusqu'à la taille. Après quelques heures, mes parents ont décrété qu'il était trop tard pour poursuivre et revenir avant la tombée du jour. J'étais très déçue et en colère mais j'ai dû me rendre à l'évidence. Au retour, en marchant dans l'eau la plupart du temps car Baloo se débrouillait mal sur les récifs, j'ai frôlé plusieurs fois des algues qui brûlent. Aïe ! Cela s'ajoutait aux égratignures que je m'étais faites lors de la promenade en forêt. Heureusement, la douleur a vite disparu. Demain, nous irons mouiller plus près des grottes et nous pourrons les visiter.

6 novembre 1991

La visite des cavernes a été de courte durée. Il s'agissait de trous de quelques mètres de profondeur. Décevant ! Par contre, le site est magnifique : une immense baie bordée de belles plages et un silence religieux. Nous avons nagé à travers de jolis bancs de poissons et de petits barracudas. À peine étions-nous revenus au voilier qu'un vent fort s'est levé. Il venait de la seule direction sans protection. Nous avons enlevé le taud en vitesse et remonté l'annexe, car les vagues qui se formaient lui faisaient heurter le bateau. Nous avons démarré le moteur au cas où... Le coup de vent a duré environ une heure. La CQR a tenu bon malgré les vagues. Je suis étonnée par la force soudaine et imprévisible de ces grains qui ont, de loin, l'apparence de nuages aux allures inoffensives. En si peu de temps, le vent a tourné de l'ouest au nord, laissant une faible brise et une petite bruine fraîche. Je préfère que la nature manifeste ses humeurs le jour. D'autant plus qu'avec la nouvelle lune, les nuits sont d'une telle noirceur. On pourrait croire que la lumière a disparu à tout jamais. À Nassau et Providence Island, le passage de Grace a été destructeur : le Club Med a été fermé, le pont qui relie les deux îles a été endommagé et une partie du brise-lames derrière lequel nous avions mouillé a même été emportée. Nous l'avons « échappé belle »...

7 novembre 1991

Trajet de 45 kilomètres à moteur pour cause de calme plat. Pas la moindre ride sur l'eau, de sorte que nous avons pu admirer merveilleusement les quatre dauphins qui nous ont accompagnés une partie du trajet. Nous sommes toujours peinés quand ils nous quittent. À l'arrivée, nous devions franchir un canal d'environ deux kilomètres ayant une profondeur de deux mètres à marée basse. Bien sûr, elle était justement basse. Sans exagérer, la quille a raclé le fond tout le long, nous ralentissant beaucoup. Nous sommes même demeurés accrochés sur une élévation de sable pendant plusieurs minutes. La bande sablonneuse s'étendait sur plusieurs kilomètres. En plongeant pour piquer l'ancre, car elle s'était posée sur le côté, j'ai eu la visite successive de deux barracudas d'un peu plus d'un mètre. À la vue du deuxième, je suis remontée dans l'annexe. Puis en revenant de la plage, j'ai plongé de nouveau pour chercher quelques conques. Encore la visite de ces chères bêtes. Lentement, un peu effrayée par leur regard insistant, je suis revenue à bord. Je n'apprécie pas beaucoup leur compagnie. Par contre, la quantité de conques était faramineuse. J'aurais pu les ramasser par dizaines. Petit coup de vent inoffensif dans la soirée. Nous sommes à Big Galliot Cay.

8 novembre 1991

Malgré notre désir de partir ce matin, le vent n'était pas complice (il soufflait dans la mauvaise direction). Je n'ai pas eu de chance à la pêche. Le matin, les poissons ont seulement grignoté mes morceaux de conques sans daigner toucher l'hameçon. Puis j'ai changé d'endroit ; deux ont mordu et sont finalement partis avec mon hameçon. J'ai pu ramener le troisième, mais sa petitesse l'a sauvé d'une fin tragique sous forme de friture. J'en ai pêché un quatrième réputé pour son bon goût, un mérou, mais ma mère l'a échappé à l'eau en voulant le saisir pour le vider. C'est donc à mon père que nous devons les trois prises qui nous ont servi de souper.

9 novembre 1991

Même si le vent était contraire à celui qu'il nous fallait pour atteindre Georgetown, nous avons décidé de partir. Après une sortie difficile vers l'océan, avec de fortes vagues et peu de profondeur, nous avons vécu une belle journée de navigation à voile, interrompue seulement par quelques averses et de gros nuages gris. Notre arrivée à Lee Stocking Island fut spectaculaire ! Depuis un moment, une immense formation grise approchait mais elle ne venait pas directement vers nous. Soudainement, le vent a tourné et un rideau de pluie opaque a foncé droit sur nous. Ma peur ne m'a pas empêchée d'avoir le souffle coupé par la rapidité, la violence et, surtout, la beauté de cette vision apocalyptique. L'espace et l'absence d'obstacles permettent à la nature de déployer tout son pouvoir. Nul habitant des villes, à l'horizon voilé par les murs gris des édifices et la couleur artificielle des cieux pollués, ne pourrait soupçonner ces spectacles grandioses. J'avais peine à ouvrir les yeux sous ce déluge qui faisait exploser la surface de la mer en milliers de feux d'artifices miniaturisés. Quand la furie s'est calmée, comme pour nous faire un clin d'œil, le ciel s'est paré d'un magnifique arc-en-ciel dont les deux extrémités se noyaient dans l'eau turquoise.

10 novembre 1991

Journée d'attente et de cuisine.

Depuis hier, un gros chagrin. Je pense à ce que seront plus tard ceux que je connais, qui rêvent de musique ou de liberté, de devenir clown ou de marcher sur la lune, qui ne songent même pas à ce qui les attend, se contentant d'être jeunes. Dans 10, 15 ou 20 ans, mariés, enfants, auto, maison, leurs rêves bafoués ou pire : oubliés et morts, se contentant d'être comme les autres, sans s'interroger. J'aurai beau leur rappeler, leur crier en employant les mêmes mots qu'eux quelques années plus tôt, la révolution qu'ils projetaient pour changer le monde, les idéaux qu'ils caressaient en songeant à un avenir nouveau, une terre meilleure... Le frisson de dégoût qu'ils ressentaient à l'idée d'une petite vie tranquille et banale... Ils me regarderont avec condescendance, me considérant comme une pauvre folle qui a gâché sa vie ! Folle de ses rêves et de sa liberté, oui. Ils me trouveront prétentieuse de ne pas vouloir faire partie du troupeau. Ils me fermeront leurs oreilles, leur cœur et leur porte, espérant que je ne revienne plus. Ils penseront que je n'ai rien accompli alors qu'eux... eux, ils ont... ils ont... euh !... des enfants, tiens, pour assurer leur descendance... une pension qu'ils accumulent pour... euh !... euh !.. et oui, un doute pernicieux pourrait s'insinuer, qu'ils s'empresseront d'effacer en essayant de rire de leurs bêtises de jeunesse, de leurs propos naïfs, parce que maintenant, ils savent, ils ont compris ce qu'est la vie. Mais la vie, est-ce de savoir comment éliminer les doutes dérangeants ? Un jour, en relisant ces mots, si je suis devenue comme eux, j'espère que, loin de rire de ces propos, je ressentirai la honte insoutenable d'avoir préféré la mort à la liberté, reniant ma condition d'être humain. On ne peut désigner de ce noble titre les masses inertes, uniformes, malléables et dépourvues de jugement qui peuplent la planète.

11 novembre 1991

Lever à 5 h 30 pour le départ vers Stocking Island située à 45 kilomètres. Nous sommes maintenant devant Georgetown, petite île de 600 habitants où nous pourrons acheter les derniers vivres, le diesel et faire provision d'eau potable. Le prochain approvisionnement ne pourra se faire avant Haïti. Stocking Island compte trois baies dites « trous à ouragans » à cause de la protection qu'elles offrent vers les quatre points cardinaux. Nous mouillons à l'entrée de l'une d'elles car le passage est impraticable pour nous à marée basse. Coucher de soleil mirifique : véritable boule de feu aux teintes orangées projetant, longtemps après sa disparition, un halo violacé.

12 novembre 1991

Changement de mouillage devant Georgetown. C'est joli. Des fleurs, quelques magasins et automobiles, un lac au centre de l'île avec un joli petit pont de pierre surplombant l'embouchure qui le raccorde à la mer. Il faut vingt minutes de marche lente pour tout visiter. Le coût de la vie est très élevé.

13 novembre 1991

Corvée d'eau douce puis lessive et diesel. Les voyages en annexe à rames sont périlleux à cause des vagues d'un mètre. Une fontaine publique nous permet d'avoir l'eau gratuitement. À la marina, c'est 10 ¢ le gallon. Elle est légèrement saumâtre ; on devra s'y habituer. Nous avons pu laver nos cheveux et le chien qui commençait à dégager dangereusement, malgré ses longues baignades. Mon père a installé le pilote à vent ; ce sera un nouveau membre d'équipage. Espérons qu'il fonctionnera. Nous devrons le baptiser. Quel bonheur de se coucher dans des draps frais, avec le corps et les cheveux non salés. Le vent souffle assez fort depuis l'après-midi, mais ce n'est pas inquiétant. Juste le « Hou hou » habituel.

J'ai de la difficulté à accepter d'être un être parmi cinq milliards. J'aurais voulu être immortelle. Pourquoi cette vie, s'il n'en reste que notre satisfaction personnelle. Ces malheurs et ces joies qui se succèdent, éphémères, ces gens qui passent et disparaissent. Pourquoi ? Même les plus grands sont oubliés : livres poussiéreux, disques égratignés, pellicules reléguées aux oubliettes ; des noms imprimés sur papier, une photo, ces vies n'ont plus aucune importance et sont remplacées par d'autres. Les plus grands génies tombent dans l'oubli. Qui prend le temps d'apprécier leur œuvre ? Il faudrait que je sois au moins la « gonzesse » de Jésus-Christ pour être satisfaite, me répète papa !

14 novembre 1991

Nous sommes retournés au mouillage initial car les vagues rendaient la vie à bord inconfortable. Impossible d'aller à terre poster nos lettres. Journée de devoirs et de cuisine. Dans la soirée, arrivée d'un couple avec leur enfant. Ils viennent de Sherbrooke au Québec. Nous les avions connus à Nassau. C'est amusant de nous retrouver et de raconter nos péripéties respectives. Ils ont quitté leur travail, vendu leur maison pour venir aux États-Unis avec tous leurs effets personnels dans un camion et y acheter un voilier : le *Barbara*. Tout comme nous, ils étaient sans expérience et ont navigué dans les Bahamas sans cartes. Ils le font encore, guidés par les habitués des îles. Quant à nous, nous avons dû acheter le grand guide des Bahamas car il était impossible de trouver des cartes individuelles.

16 novembre 1991

Aujourd'hui, nous avons fait l'erreur de partir sans attendre un vent propice. Vers 2 h, nous avons levé l'ancre et sommes sortis de la baie en évitant les bancs de sable. Le vent était est nord-est. Nous devions suivre un cap de 80° en direction de Rum Cay. Nous voulions tirer des bords. Rapidement la mer s'est formée : des vagues de quatre mètres, puis de six dans la nuit. Après avoir parcouru environ 20 kilomètres, mes parents ont réalisé que nous n'avancions pas. Il était trop tard pour retourner au mouillage. Nous avons donc utilisé le moteur en désespoir de cause. Contre toute attente, il fonctionnait très bien dans ces mauvaises conditions. Nous avions pensé nous réfugier à Long Island, 50 kilomètres avant Rum Cay, mais comme il était impossible d'y mouiller de nuit, au lieu de tourner en rond jusqu'au matin, nous nous sommes dirigés vers Rum Cay. Nous l'avons atteinte à 13 h. Puis, soupe chaude et dodo. Nous étions dégoûtés de la navigation. J'exagère.

Je dois avouer que je n'ai pas été bien utile. Dans la soirée, ma nausée s'est transformée en mal de mer véritable. J'ai adopté la position horizontale, laissant mes parents aux prises avec cette mer démontée. J'ai essayé à quelques reprises de barrer entre deux voyages pour vomir par-dessus les filières, mais je ne pouvais résister. J'étais belle à voir, couchée sur le roof, avec ceinture et harnais, trempée par les embruns, grelottant et essayant de penser à autre chose qu'aux gargouillis de mon estomac. C'est vexant pour une admiratrice de Vito Dumas, émerveillée par les récits de ses multiples exploits marins. Je ne serais pas de ceux qui rebroussent chemin en arrivant au port de New York après plusieurs jours de mer. J'oubliais : malgré tout, la nuit était très belle, éclairée par une presque pleine lune. Quel merveilleux spectacle malgré tout, que celui de la voûte céleste, impénétrable et mystérieuse.

18 novembre 1991

Ma mère fait une crise de foie. Impossible d'aller à terre à cause des vagues et du courant. Je rêve d'un mignon petit moteur sur l'annexe. Repos.

19 novembre 1991

Nous sommes prisonniers de *L'Échappée Belle*. Le vent continue à hurler ses 25 nœuds et une houle désagréable nous oblige à rétablir notre équilibre constamment. Le temps paraît long. La terre est si proche et pourtant inaccessible même si nous nous sommes rapprochés en voilier. Lecture et bouffe sont à l'honneur. C'est un peu abrutissant à la longue, même si en temps normal ces activités me plaisent. Patience ! Demain, nous irons à terre, et à la nage s'il le faut !

20 novembre 1991

Ah ! la terre ferme ! Nous l'avons enfin atteinte, cette chère île. Nous avons fait deux voyages d'annexe, mais ce plaisir n'a pas de prix. Elle est très particulière : moins de 100 habitants depuis sa destruction par un ouragan en 1905. Petits sentiers en gravier, une rue cimentée conduisant à l'école et à une petite épicerie : trois boîtes de conserves, deux de papiers mouchoirs. Les gens sont souriants, nous avons croisé trois chèvres, des poules, des petits puits, de coquettes maisons peintes de rose, de vert, parfois un peu en ruine mais mignonnes, un vieux cimetière début dix-neuvième siècle en décrépitude, des milliers de maringouins, un bar sympathique, deux restaurants vides en cette saison, un bureau de poste qui fait aussi office de poste de police, des installations solaires pour l'énergie. Nous avions l'impression d'être dans un autre monde, loin de la « civilisation ». C'est un petit univers agréable embelli par cette plage immense qui borde toute l'île. Nous sommes revenus juste avant la nuit qui nous a apporté un gros coup de vent. La mer est toujours agitée. Patience...

En arrivant sur l'île, c'était étrange : il n'y avait pas âme qui vive ; nous avons marché longtemps avant de rencontrer quelqu'un. C'était une vieille grand-mère qui cassait la pierre pour en faire du ciment. J'ai eu l'impression de pénétrer dans un village fantôme.

21 novembre 1991

Après une journée de délibérations ridicules et de disputes entre mes parents, on a décidé de mouiller plus au large. Le vent devait changer de direction et nous n'étions pas certains d'avoir la profondeur requise. La moindre décision provoque des discussions sans fin. Il y a trop de capitaines. On devient apathiques et hargneux quand on est confinés sur *L'Échappée Belle.*

22 novembre 1991

La nuit était superbe, la pleine lune baignait le paysage d'un éclat irréel et féerique. C'était comme si la lumière, refusant de suivre le soleil dans sa fuite éperdue, avait attendu qu'il disparaisse pour sortir de son refuge et faire rayonner la terre d'un éclat insolite, dessinant mille reflets sur l'océan phosphorescent. L'île endormie avait un aspect magique. Tout autour de l'astre dansaient des centaines de petits nuages. Quelques pâles étoiles scintillaient, intimidées par l'éclat de cette lune trônant comme une reine sur son royaume nocturne.

Les provisions commencent à diminuer ; vive le «corned beef» ! Menu de ce midi : vieilles sardines en boîte datant d'un voyage au Canada de l'ex-propriétaire, accompagnées d'une choucroute douteuse qui devait traîner depuis 20 ans sur les tablettes de l'épicerie de Georgetown. Régime minceur. Heureusement, le soir on a compensé par des spaghettis et un gâteau maison. Les denrées fraîches me manquent.

Au cours de l'après-midi, nous avons nagé autour d'une grosse tête de récif à fleur d'eau. Je peux m'imaginer l'état d'une coque de voilier après une collision avec une telle masse. Un charmant barracuda a élu domicile autour du voilier. Cela n'est pas un encouragement à la baignade. Ensuite, opération « salon de coiffure ». C'est ma mère qui manie les ciseaux. Avec le sel et le vent, nos cheveux ressemblent à de vieilles vadrouilles.

23 novembre 1991

Nous nous sommes levés à l'aube pour arriver à Clarencetown (Long Island), avant la nuit. Il peut paraître étrange d'y revenir, car nous l'avons longée en allant à Rum Cay. C'est simplement que la côte ouest de l'île est dépourvue de mouillage protégé, à l'exception de celui où nous nous dirigeons, à l'extrémité sud. La sortie vers le large a été pénible. Le soleil trop bas nous permettait à peine de voir à un mètre devant la proue. Coup de chance ! Nous avons évité de justesse une « collision corallienne ». Je tremblais comme une feuille. En hissant la grand-voile, malheur, elle s'est déchirée de 15 centimètres sur la couture parallèle à la bôme. Nous avons immédiatement pris un ris[24] pour sauver le reste. La mer était très agitée et irrégulière : le mal de mer m'a reprise. J'ai quand même fait mon quart, mais sans avoir la forme. Je ne m'avoue pas vaincue. La prochaine fois, j'essaierai de ne pas m'allonger, car c'est pire par la suite. Surtout, il faut se forcer à manger, même si l'appétit n'y est pas. Je devrai peut-être me résigner à essayer les petites « pilules anti-nausée ». La seule vue de ces comprimés me rend malade. Le GPS nous a laissés tomber sans aucune raison. Espérons qu'il n'y a qu'un problème temporaire de satellite.

L'arrivée à Clarencetown s'est bien déroulée, malgré les hauts-fonds. La visibilité était bonne. Le paysage est sublime. C'est, à mon avis, le plus bel endroit des Bahamas. Le moindre recoin est assailli par une végétation luxuriante. Tout est verdoyant. Et ce n'est pas une échelle branlante ou un quai trop haut qui nous attend à la sortie de l'annexe, mais un solide escalier. Les premières rues sont bordées de pelouses bien peignées, parsemées de jolies demeures aux teintes pastel. Il y a une multitude d'espèces d'arbres, de plantes et de fleurs aux couleurs éclatantes. C'est un véritable raz-de-marée de verdure qui noie l'horizon. Deux collines jumelles portent chacune une église. Leur histoire est amusante : un prêtre catholique a fait construire une première église puis, au cours d'un séjour sur une autre île, il s'est converti à la religion anglicane. Il est donc revenu en bâtir une deuxième, protestante cette fois. Un peu mégalomane ! La petite agglomération est un milieu de vie très agréable.

Mes quinze ans approchent et je ne suis pas contente du tout, du tout. Je veux bien voler de mes propres ailes, prendre un appartement, travailler, mais je n'ai pas envie de voir les années s'envoler à toute vitesse. C'est plutôt la vieillesse des autres que je redoute : tous ces vieillards prématurés (sans la sagesse ni l'expérience) avec leur petite peau lisse et jeune mais tout ridés, desséchés, morts et gris à l'intérieur. Ils perdent la faculté de rêver en même temps que leurs dents de lait. C'est ça qui les tue. À quinze ans, est-ce qu'on a encore le droit d'avoir des oursons en peluche, de courir sur une plage en récitant des poèmes ou des textes de théâtre puis, soudain, de sauter à cloche-pied en rigolant toute seule, de parler aux oiseaux ou d'entrer en grande conversation avec la mer, de danser la valse avec un beau prince charmant invisible... et plein d'autres trucs que l'on renie trop vite et qui sont en réalité les plus merveilleux ? J'adore ces courses épuisantes sur les plages désertes, je saute, chante et danse, plus rien n'existe, je deviens Robinson et les coquillages me tiennent compagnie, les multiples oiseaux deviennent mes copains et la parcelle de terre sur laquelle je me trouve, peu importe son étendue, se transforme en un royaume magnifique.

Je serai si seule au milieu de tous ces adultes sérieux.

24 novembre 1991

Aujourd'hui, réparation de la voile déchirée. Pendant que mes parents cousaient, je suis allée me balader avec Baloo en direction des deux églises. La vue est impressionnante au sommet des deux collines. Un des charmes de cette île est de nous permettre de grimper à près de quarante mètres au-dessus du niveau de la mer. Quelques chèvres sont attachées derrière les maisons et les poules se promènent librement. Il y a plusieurs marécages. Changement de sujet : le GPS s'est arrêté de nouveau.

25 novembre 1991

Réparation de la voile et achat de nourriture.

26 novembre 1991

Nous nous sommes promenés dans le village. Nous avons rencontré un équipage allemand émigré au Canada. Ils sont ancrés plus au nord, mais ils ont loué une auto pour visiter l'île. Depuis notre arrivée, on a aussi fait connaissance avec un Québécois vivant à Clarencetown sur un six mètres et demi. Il retourne aux États-Unis tous les six mois pour obtenir son visa et ce, en voilier. Grâce à ses relations ici, nous avons pu acheter, il y a deux jours, une caisse de fruits frais, denrées tellement rares depuis des semaines. Il est venu à bord et nous avons appris qu'il était le fils du peintre Paul-Émile Borduas. Ce fut une agréable rencontre.

27 novembre 1991

Après trois jours d'attente, nous avons enfin reçu notre caisse de fruits et du pain frais. Les gens d'ici ont eu la gentillesse de nous procurer ce qui était introuvable au village. Mais, il faut composer avec les peut-être. La dame qui fait le pain passera peut-être demain, ou après-demain, ou encore un autre jour. Pour ce qui est de la caisse de fruits, ce sera peut-être le conducteur du minibus qui la livrera, ou tel autre à telle heure ou plus tard. C'est comme avec le vent ; il ne faut pas être pressé avec les insulaires.

Après tout, ils auraient bien tort d'adopter le mode de vie trépidant des grandes villes.

28 novembre 1991

Patience... Depuis notre arrivée, le vent n'est pas favorable au départ vers le prochain mouillage. Aujourd'hui, il a tourné, mais il est d'une telle violence qu'il n'est pas recommandable de partir. On a eu un grain dans l'après-midi. Hier, le *Barbara*, que nous avons connu à Nassau, est arrivé. Nous partirons peut-être avec eux demain matin, si le vent se maintient. C'était étourdissant après souper : nous avons eu quatre visiteurs venant de deux autres voiliers. J'ai perdu l'habitude de voir autant de gens chez moi.

29 novembre 1991

Le vent et les vagues ont trop de force, on ne part pas.

30 novembre 1991

On croirait que la vie de marin tourne autour du pain et du vent. Aujourd'hui, nous sommes partis à la recherche de pain. On nous avait indiqué une maison à quelques kilomètres. Nous y sommes allés à pied et le pain n'était pas cuit. Nous y sommes donc retournés plus tard. Toute la journée pour un achat de pain. Il ne faut pas être impatient. Pour mon quinzième anniversaire qui a lieu demain, j'ai eu droit à un bon poulet (denrée rarissime à bord depuis le départ de Floride).

1er décembre 1991

Eh bien ! j'ai quinze ans aujourd'hui. La journée s'est passée à nager parmi les poissons et à faire des châteaux de sable avec un gamin de sept ans. C'est sûrement mieux que de l'avoir passée au lit, à me remettre des abus de la veille, alors que la neige tombe et qu'on frissonne ! Non ? Je n'ai pas rencontré l'amour de ma vie, ni bu à en perdre la tête, mais j'ai vécu une journée comme celles qui m'attendent pour quelques années, pleine de soleil et de mer. J'essaierai simplement d'être bien sans chercher la fuite par tous les moyens, de me faire des dents et des poings pour affronter le monde, de regarder, de vivre chaque instant sans trop m'en faire avec l'avenir et d'oublier tout ce qui me rattache au passé. Je retrouverai cela bien assez vite et probablement sans que le moindre changement ait eu lieu. Je me souhaite la bienvenue dans ce paradis d'insouciance turquoise et blonde, peuplé de créatures fabuleuses.

2 décembre 1991

Depuis plusieurs jours, mon père se lève à 6 h, regarde la direction du vent et retourne au lit. J'ai hâte que le vent tourne ; la navigation me manque. La journée s'est bien passée ; nous sommes allés faire des courses dans le village voisin, en faisant du stop. Ici, c'est tout naturel de se déplacer de cette façon. Nous avons fait l'aller dans une boîte de camion et le retour avec trois véhicules différents. C'était amusant de découvrir l'île. D'immenses plantations de bananes couvrent le sol à plusieurs endroits. Aujourd'hui, la nature nous a fait cadeau d'un grand sac de fruits succulents appelés ici *sugar apple*. Ce sont d'étranges délices vertes et bossues, à l'intérieur desquels se trouve une chaire blanche, exquise, fraîche et sucrée, parsemée de petits noyaux lisses et noirs comme le jais (ne nuisant en rien à la dégustation car ils se détachent facilement de leur cocon blanc).

3 décembre 1991

Lever à 5 h, il fait encore nuit. Nous avons décidé de partir en même temps que le *Barbara*. Nous les avons suivis pour sortir en haute mer, car ils ont un profondimètre. Très vite les vagues ont atteint plus de six mètres. Aujourd'hui, je trouve cela formidable, car je n'ai pas le mal de mer. Merci aux cachets miracles que je me suis décidée à essayer. Nous avons vu le *Barbara* hisser les voiles, affaler et faire demi-tour. C'était impressionnant de voir disparaître ce petit voilier entre deux vagues. Ils nous ont informés par radio que le câble reliant la roue au safran avait cédé. Ils sont rentrés à l'aide d'une barre de secours. Nous voulions continuer notre route, alors nous avons hissé les voiles, mais le cap était mauvais. Encore vent debout. Nous avons opté pour un retour au port et, quelques minutes plus tard, la grand-voile s'est déchirée à partir d'un œillet de prise de ris. Le moment fut spectaculaire ! On n'a pas intérêt à traverser une tempête, car on accumule les gaffes. Les manœuvres au petit matin ne nous réussissent pas, surtout quand elles sont précipitées parce qu'un autre équipage nous attend. Nous sommes retournés au mouillage, sous le regard intrigué des autres voiliers. Un capitaine est venu aux nouvelles. Il connaissait le nom d'un réparateur de voiles sur l'île. Mes parents sont partis en stop avec le foc[25] et la grand-voile. Ils seront prêts demain. Morale de la journée : inutile de résister au vent et à la mer. Ils sont les plus puissants.

4 décembre 1991

J'étais de mauvais poil et prête à commettre un crime familial. J'ai préféré partir avec mon chien dans un nouveau coin de cette île si jolie. C'était l'arrivée du bateau à provisions. Tous les camions de l'île étaient présents pour prendre livraison de marchandises commandées ou pour vendre leur production. Quelle animation !

5 décembre 1991

Départ à 6 h 45. Bonne brise. Il a fallu prendre un ris dès le départ. Il y avait beaucoup de perturbations atmosphériques qui provoquaient des orages, des rafales et même des calmes plats. Mais après leur passage, on retrouvait notre allure. Crooked Island est une île superbe, entourée de plages, mais nous n'avons pas le temps d'aller à terre. Le *Barbara* n'a pas eu de chance aujourd'hui : sa grand-voile s'est décousue sur presque toute la longueur, l'obligeant à prendre un ris, et elle s'est aussi déchirée de haut en bas. Heureusement qu'il en avait une deuxième. Nous naviguons avec eux, car ils n'ont pas d'autres instruments qu'un compas.

6 décembre 1991

Direction Auclins Island à 70 kilomètres. Lever à 5 h et départ à 6 h 30. Je trouve difficile de me lever si tôt, mais le soleil me réconforte. Quelle journée sublime ! Nous avons eu un vent de travers tout doux, nous donnant une allure moyenne de cinq nœuds. La mer était calme puisque nous étions sous le vent de l'île et le soleil légèrement voilé par toutes sortes de gros nuages. On découvre que naviguer peut être un plaisir. Nous avons même écouté de la musique, mais je préfère le bruissement du vent dans les voiles et le bouillonnement de l'écume contre l'étrave. Comme nous sommes arrivés tôt au mouillage, ma mère a recousu la grand-voile du *Barbara* à la machine à coudre. En échange, ils ont préparé le repas pour les deux équipages. Je suis allée en annexe sur la plage pour faire courir Baloo. La houle venait se briser sur la rive et une vague a renversé le dinghy. J'ai eu du mal à le ramener sur la plage et à récupérer les rames. Jean-Pierre, capitaine du *Barbara*, est venu m'aider pour retourner à bord, avec son annexe en caoutchouc. Je ne savais plus comment me tirer de là sans être à nouveau renversée. Il est plus difficile de manœuvrer une embarcation en fibre de verre. C'est une vraie coquille de noix instable qui se remplit d'eau au moindre faux mouvement.

7 décembre 1991

Nous avons parcouru les 160 kilomètres qui nous séparaient de Great Inagua en quatorze heures, soit six de moins que prévu. Nous avons atteint sept nœuds et demi à certains moments. Il a été possible de mouiller de nuit grâce au profondimètre du *Barbara*. Le seul incident à souligner : notre lumière de mât a rendu l'âme. Pour continuer à indiquer la route au *Barbara*, nous avons utilisé une grosse lumière de pont. Dans l'ensemble, la navigation s'est bien déroulée. Nous devenons habiles à border[26] ou choquer[27] les voiles pour qu'il soit plus facile de barrer, gagner un nœud ou contrôler la gîte pour plus de confort.

Souvent, quand je suis à la barre, je pense à mes copains assis entre quatre murs dans la grisaille de l'hiver, à écouter des professeurs qui rêvent à leur retraite. Malgré les petites difficultés de la vie sur l'eau, je trouve plus exaltante et enrichissante mon expérience ici. Parfois, j'aimerais me retrouver avec des jeunes ; la vie à trois, ce n'est pas toujours la joie. Pour le moment, je me gave de voile, de soleil, de plages, j'ouvre mes yeux tout grand pour ne rien perdre de ces nouveaux horizons. J'ai tout le temps de vivre en groupe et, alors, j'aurai les pensées toutes fleuries de ces années de voyage. Baloo trouve la navigation atroce. Il est couché au fond du cockpit, noyé sous les embruns. Il n'ose plus aller sur le pont, même pour ses besoins, depuis qu'il a glissé d'un plat-bord à l'autre du voilier. Sitôt qu'on lève l'ancre, il se précipite dans cette niche improvisée.

8 décembre 1991

En mer, nos trois écoutilles prennent l'eau. On essaie de protéger l'intérieur avec des toiles cirées, mais hier soir, j'ai eu la mauvaise surprise de découvrir que l'eau s'était infiltrée dans le plafond de ma cabine pour inonder vêtements, cassettes, livres, cahiers, partitions musicales... Aujourd'hui, c'est l'opération séchage ; les tapis côtoient les feuilles de musique sur les lignes de vie et les cordes à linge improvisées. Il faut faire sécher les coussins, le matelas, tout. L'ensemble est assez pittoresque. Nous n'avions pas prévu la pluie au programme. Les autres équipages ont bien rigolé de nous voir, ma mère et moi, essayant de tout protéger à chaque grain, de retenir nos effets pour ne pas qu'ils s'envolent et de tout remettre en place dès l'apparition du soleil. Heureusement, le beau temps s'est installé avant le coucher du soleil, ce qui nous a permis d'effacer les vestiges de cette navigation. J'ai pu sauver un coussin qui avait décidé d'apprendre à voler avant de couler. Je suis la *lifeguard* officielle de tous les biens qui quittent le bord pour rejoindre les fonds marins.

9 décembre 1991

Nous sommes allés à terre. Matthewtown est mignon, comme tous les villages bahamiens. Le nombre de chiens est incroyable : au moins trois par maison. Baloo a créé une véritable cacophonie de jappements et de grondements pendant toute notre promenade. Il y a des chèvres et des cochons en liberté. J'ai caressé et donné le biberon à un chevreau de quelques jours. Il avait la grosseur d'un chaton. Le papa adoptif de la chèvre nous a un peu inquiétés en nous racontant des histoires de vagues et de vents qui font échouer les voiliers et soulèvent des rochers de la plage jusqu'à la rue. Nous avons trouvé une épicerie climatisée, avec des œufs et du lait frais. Le pied ! Nous en avons bu quatre litres en quelques minutes. Le lait en poudre est vraiment un truc auquel je ne m'habitue pas.

J'oubliais. La nuit dernière, alors que nous naviguions, nous avons assisté à un lancement de fusée. C'était très beau : un trait de lumière intense avec une boule plus lumineuse à l'extrémité. Nous avons pu suivre le trajet de la partie qui retombe à l'eau après le départ. J'avais assisté à un autre lancement à Cap Canaveral. Mais mon émotion n'était pas aussi intense qu'en voyant cette trace de la technologie de pointe dans la nuit noire, alors que nous sommes isolés sur notre frêle esquif.

10 décembre 1991

Corvée d'eau et de diesel. Nous n'irons pas en Haïti ; l'armée a repris le pouvoir, le père Aristide est en exil, le climat social est très tendu. Faute d'informations précises, nous nous abstiendrons.

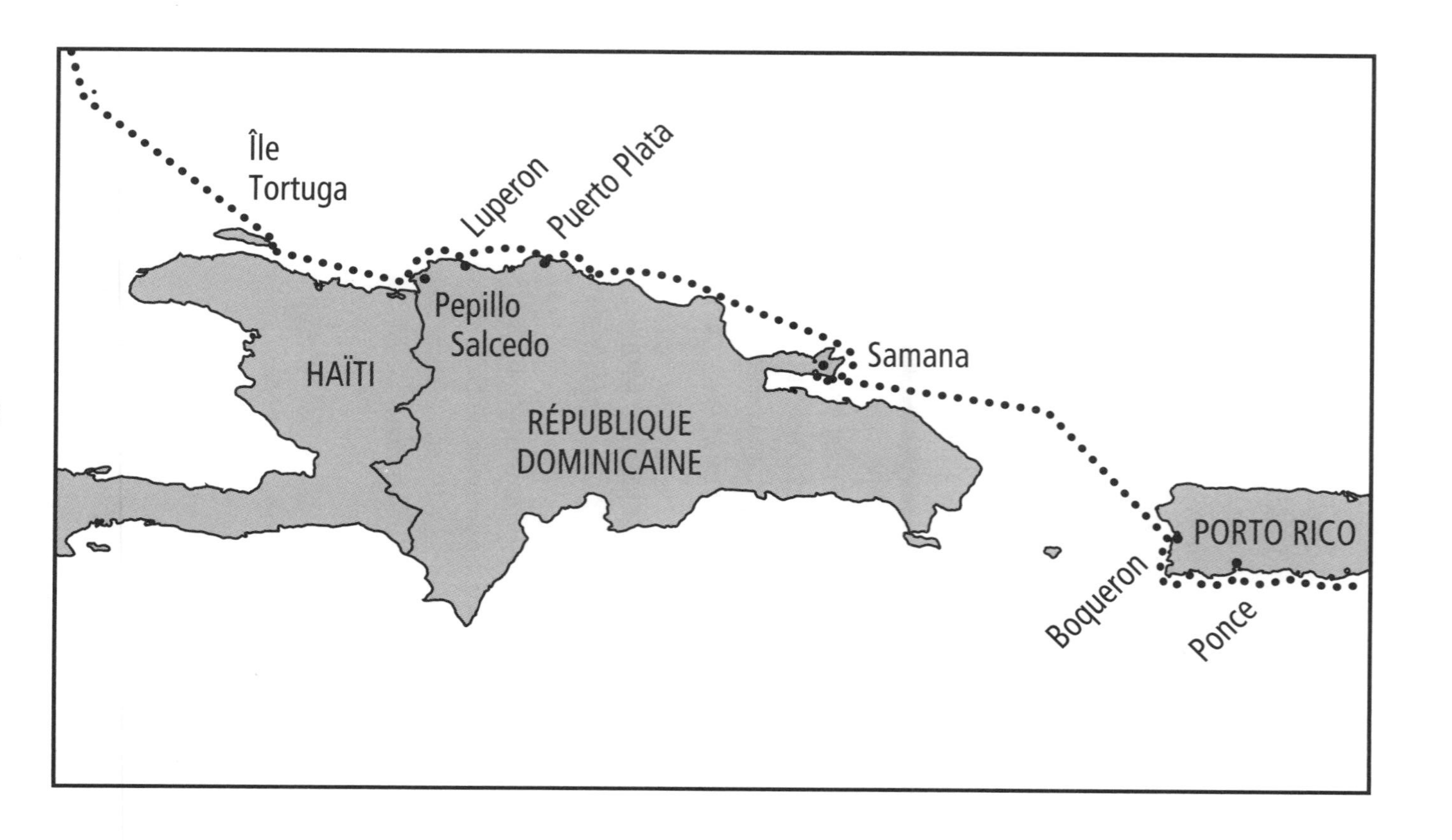
Île
Tortuga
Luperon
Puerto Plata
Pepillo
Salcedo
HAÏTI
Samana
RÉPUBLIQUE
DOMINICAINE
PORTO RICO
Boqueron
Ponce

Quatrième chapitre

Hispañola

12 décembre 1991

L'équipage propose, mais reste soumis aux caprices du vent. Nous sommes à l'île de la Tortue, territoire haïtien. Avant de parler d'Haïti, ce trajet de 170 kilomètres en 34 heures mérite quelques lignes. Nous sommes partis vers 7 h le 11 décembre afin d'arriver en République Dominicaine de jour pour ne pas avoir de problème avec les autorités. La mer était calme, un vent léger nous poussait. Nous avancions environ à trois nœuds, aidés par le courant.

Tout à coup, j'ai eu la surprise d'entendre un moteur. Je me suis retournée pour apercevoir un avion à quelques mètres des barres de flèches. On aurait pu offrir un café à l'équipage. Plusieurs fois, au mouillage dans des îles désertes des Bahamas, nous avons vu un avion tournant autour de *L'Échappée Belle*, presque à la hauteur du mât. On nous a dit qu'il s'agissait de la brigade anti-drogue de la garde côtière américaine photographiant les voiliers pour s'assurer que la ligne de flottaison ne varie pas de façon significative. Si vous transportez de la drogue, faites-le par petite quantité, semblent-ils nous dire.

Au cours de la journée, nous avons eu quelques perturbations qui nous obligeaient à modifier le cap pour de courtes durées. C'est environ deux heures après le coucher du soleil que les problèmes ont commencé. Les grains se succédaient, assez violents, et nous dérivions de notre route, car le vent tournait de plus en plus. Je rappelle que nous servons de guide au petit voilier québécois, le *Barbara*. Un appel radio : sa grand-voile s'est à nouveau décousue. « Pas de problème », nous affirme-t-il. On lui conseille d'enrouler son foc car l'horizon est bouché par une masse noire comme nous n'en avons jamais vu. Trop tard pour une prise de ris. Le vent était déjà très fort. Nous avons choqué les voiles pour ne pas coucher le bateau. Il était presque impossible de garder les yeux ouverts tant la pluie fouettait le visage avec violence. Les étoiles avaient complètement disparu. On reçoit un deuxième appel de Jean-Pierre, au moment où le *Barbara* pénètre dans la zone de turbulences : « Notre enrouleur[28] vient de sauter. » Situation assez alarmante : ils n'ont plus de voiles et leur réserve d'essence n'est pas suffisante pour atteindre la République Dominicaine.

De notre côté, nous avions réduit la grand-voile, mais non sans difficultés ; les vagues avaient déjà cinq mètres. Mon père tentait de maintenir le voilier vent debout pour faciliter les manœuvres. En voulant choquer le foc, il a échappé l'écoute de retenue de bôme[29]. Comme la bôme me servait de point d'appui pendant que j'attachais les garcettes pour terminer le ris, j'ai glissé sur le roof. Heureusement, je suis parvenue à me rattraper et j'ai évité de passer par-dessus bord. Étant incapables de garder un cap convenable et ayant déjà dérivé beaucoup, nous avons affalé[30]. Il valait mieux diriger les deux voiliers vers la terre la plus proche compte tenu de la situation du *Barbara*. Ma mère a dû se rendre sur le pont avant pour démêler les écoutes de foc et l'attacher sur les filières au cas où il faille hisser d'urgence. Pauvre Baloo ! ! il se faisait bien bousculer au fond du cockpit par tout ce va-et-vient.

Nous étions à moteur depuis deux heures environ quand une nouvelle catastrophe s'est abattue sur nous. Je sommeillais entre deux quarts et j'ai entendu un hurlement : « ON COULE ! » Mon père m'a alors lancé le tuyau de la pompe de cale électrique pour que je le fixe sur le plat-bord. À l'intérieur, les tapis flottaient dans une eau huileuse. Pendant que mon père se faufilait entre le moteur et les tuyaux d'évier et de pompes pour essayer d'identifier l'entrée d'eau, le tout dans la vague de cinq mètres, je me suis installée à la pompe de cale manuelle afin d'évacuer le plus d'eau possible, car le niveau continuait à monter. Le problème fut rapidement localisé : le presse-étoupe[31] s'était détaché et l'eau de mer était aspirée vers l'intérieur. Tant bien que mal, notre capitaine l'a remis en place. Pendant ce temps, nous avions beaucoup dérivé. Nous sommes repartis à moteur et, quelques minutes plus tard, j'ai réalisé que l'eau recommençait à envahir le plancher. Mon père est retourné au presse-étoupe. (Chaque fois, il faut enlever la moquette, l'escalier, les trois panneaux qui ferment la chambre du moteur et se faufiler entre les obstacles dans cet espace exigu.) Il a serré les colliers du presse-étoupe de nouveau. Au moment où il sortait en rampant à reculons, le tiroir à ustensiles s'est ouvert sous la secousse provoquée par une vague. Il fallait voir mon père taché d'huile, empêtré dans les tuyaux d'évier et recouvert de moules à gâteaux et d'ustensiles. La seule solution pour nous consistait à ne plus remettre le moteur en marche et à hisser les voiles pour tirer des bords. Alors, le *Barbara* ne pourrait plus nous suivre. Nous lui avons indiqué, par radio, le meilleur cap pour économiser l'essence qui lui restait et toucher terre au matin. Le lever du jour n'était plus très loin. Nous l'avions perdu de vue. Comme nous n'arrivions pas à gagner du terrain en tirant des bords, mes parents ont décidé de continuer à moteur tout en utilisant la pompe de cale électrique. En affalant les voiles, la lumière de mât s'est éteinte : un fusible de grillé. Et il y avait plus grave. La drisse[32] de grand-voile s'était entortillée autour de la balancine[33], au sommet du mât : on ne pouvait plus hisser la grand-voile et il était impossible de faire quoi que ce soit avec cette houle. Ma mère avait échappé la drisse en voulant me retenir pour que je ne bascule pas par-dessus bord : une contre-vague m'avait fait perdre l'équilibre alors que j'étais dans l'échelle de mât pour descendre la grand-voile.

Quel réconfort ce matin d'apercevoir les côtes de l'île de la Tortue et d'Haïti, ces hautes montagnes teintées de rouge, d'orange, de jaune et, enfin, la petite tête ronde du soleil. Tout est moins dramatique quand le jour est levé. Par contre, aucune nouvelle du *Barbara*. Un peu plus tard, la boîte électrique s'est mise à chauffer. La pompe de cale prenait trop de courant. Plus de radio, plus de lumière de compas et même le GPS indiquait une baisse d'intensité électrique. On a donc coupé la pompe électrique pour utiliser la manuelle. Les vagues étaient maintenant de six à sept mètres à cause de la proximité du plateau continental. Nous souhaitions de toutes nos forces que le moteur continue à fonctionner. Avec le courant, les vagues et le vent debout, nous avancions à peine. Le GPS indiquait même que nous culions parfois : -1 nœud. Il était hors de question, avec cette mer déchaînée et notre état de fatigue, de tenter l'escalade du mât pour libérer la drisse et la balancine. Le sort du *Barbara* nous inquiétait au plus haut point. À 16 h, après neuf heures de moteur pour parcourir à peine 20 kilomètres, *L'Échappée Belle* a contourné la pointe sud-est de l'île de la Tortue pour enfin pénétrer en eaux calmes. OUF !

Nous espérions retrouver le *Barbara* ; régulièrement au cours de la nuit et de la journée, nous avions expliqué notre position et la direction du mouillage en leur décrivant les côtes. Nous pensions que s'ils ne pouvaient émettre, ils étaient peut-être en mesure de recevoir les communications. Nous n'avions pas de carte très précise, mais en interrogeant les pêcheurs, nous avons pu nous rendre à Basse-Terre, le village principal de l'île de la Tortue, pour y mouiller. Peu de temps après, nous avons pu rétablir le contact radio avec l'autre voilier qui nous a rejoints deux heures plus tard. Ils avaient parcouru une quinzaine de milles en direction de la République Dominicaine en pensant que nous étions derrière eux. C'est à ce moment qu'ils ont capté un de nos messages. On a passé la soirée à raconter nos avaries respectives. Ils s'étaient faits du souci pour nous eux aussi. La navigation en tandem est une très mauvaise idée. Il faut que chaque équipage puisse prendre ses décisions et naviguer en fonction de ses possibilités.

C'est incroyable à quel point nous oublions vite nos mésaventures dès que l'ancre repose au fond. Nous sommes toujours heureux de reprendre la mer et jamais effrayés par les avaries. À nous observer, j'en déduis que les êtres humains peuvent s'adapter à toutes les situations.

Ici, la première impression est extraordinaire. C'est un autre monde. Les huttes de paille sur la rive et les maisons juchées dans les hauteurs, les embarcations à voiles superbes avec la bôme très longue et les voiles rouges, bleues, brunes ou multicolores, les monts escarpés et les feux partout dans la montagne pour la fabrication du charbon de bois, les bateaux de bois en construction, les enfants godillant avec de longues perches noueuses sur de minuscules coques, tout un monde paisible qui ne laisse pas transparaître à première vue les problèmes du pays. J'ai hâte d'aller à la découverte de cette île.

13 décembre 1991

Je n'ai pas pu aller sur l'île aujourd'hui. Le sergent responsable n'était pas là pour donner les autorisations. Quand les deux capitaines sont descendus, on leur a recommandé de rester à bord, compte tenu de la situation politique. J'ai décidé de nettoyer les tapis huileux suite à nos dernières mésaventures. J'ai aussi grimpé dans le mât pour décrocher la drisse. C'est haut, 15 mètres ! En atteignant les barres de flèches, il faut donner un coup de cœur. Plusieurs jeunes sont venus nous offrir des fruits : mangues, bananes...

Hier, dès notre arrivée, nous avons été envahis par les visiteurs. C'est bien de pouvoir parler français, même avec un mélange de créole. Certains visiteurs voulaient de la ligne à pêche ou diverses denrées et même des biscuits Petits Lu. Le sergent semblait détendu. Il est venu avec une dizaine d'enfants sur une vieille barque, vêtu d'un jeans et d'un tee-shirt. Il nous a demandé d'écrire nous-mêmes nos noms et numéros de passeports. À la bonne franquette !

14 décembre 1991

Enfin j'ai pu aller à terre. J'étais émerveillée. Pour la première fois, j'avais l'impression d'être ailleurs, sans l'influence omniprésente de cette Amérique qui a tout uniformisé et abruti. J'étais heureuse de voir tous les gens souriants, les yeux brillants. Les femmes portaient de gros paquets sur la tête, toute une ribambelle d'enfants nous suivaient en babillant, il y avait des chèvres et des cochons. Dans le village voisin, après avoir suivi un chemin dans la montagne, nous avons rencontré des femmes descendues avec leur âne pour vendre du pain, des friandises, de la viande ou des fruits. Elles attendaient que la messe finisse pour avoir des acheteurs. Il y avait d'immenses régimes de bananes, du manioc, des fèves et beaucoup d'autres choses que je ne connais pas. Quelle belle scène ! Nous allions naïvement rencontrer le sergent qui nous avait invités la veille. Un de ses acolytes nous a amenés chez les militaires. Ils nous ont affirmé que nous n'avions pas le droit de parler aux citoyens et qu'il fallait être accompagné d'un militaire pour faire des achats et se promener, cela, sans entrer en contact avec la population. L'un des militaires a pris mon père à l'écart pour lui demander de l'argent. Il s'est fait très insistant, alors mon père lui a donné 5 $ US. Puis, il a poursuivi en disant qu'il fallait aussi cotiser pour la police. Hier, il n'avait nullement été question de droits d'entrée. Je ne crois pas que c'était le moment de protester. Un gentil pêcheur nous servait de guide. Il nous a glissé discrètement à l'oreille que nous venions de rencontrer la mafia. Nous avons croisé un autre militaire qui a vérifié notre destination. Puis, curieusement, il nous a raconté que tous ses papiers étaient en règle et nous a suppliés de l'embarquer avec nous. Ce n'était pas la première demande.

Je suis triste que dans un tel paradis, un peuple magnifique vive dans la terreur constante de fous du pouvoir. C'est horrible que des hommes soient privés de liberté par une poignée de crétins à mitraillettes, tout cela avec la bénédiction et le financement de cette chère Amérique, la supposée patrie de la liberté et du bonheur. Quelle farce ! Il n'y a pas de quoi être fier d'être blanc et américain. Le Canada étant le vassal des États-Unis, on ne peut même pas prétendre être en dehors de tout cela. Tiens ! revoilà le sergent. Il est venu réclamer sa part de cotisation. Mon père a répondu que nous avions déjà beaucoup donné. Il va y avoir du grabuge à la caserne. On lui a demandé s'il y avait des droits d'entrée. Il souriait malicieusement en répondant négativement tout en ajoutant que les petits cadeaux étaient les bienvenus.

Mon père a réussi à fixer le presse-étoupe. Mais au premier essai en marche avant, il s'est remis à tourner avec l'arbre. Il a recommencé la fixation des colliers ; espérons que cela résistera à la prochaine navigation. Les vibrations étranges qui nous inquiétaient depuis les Bahamas étaient quant à elles causées par une patte de moteur mal fixée. Départ demain. Nous commençons à nous habituer aux vents qui soufflent en permanence à 25 nœuds. Dire qu'il y a deux mois, nous appelions cela une tempête.

16 décembre 1991

Nous sommes maintenant en République Dominicaine, à Pepillo Salsedo. Nous avons quitté l'île de la Tortue le 15, vers 7 h. La transmission ne voulait pas embrayer, alors nous avons remouillé pour quelques minutes. En hissant les voiles, nous avons découvert que la bordure du foc était déchirée. On a décidé de la réparer en cours de route. Ce fut l'occasion de découvrir nos voiles. Il y en a neuf à bord. Nous n'avions utilisé que le foc. Il y avait à peine une petite brise et nous avancions avec difficulté. Nous avons mis toute la journée pour quitter le passage entre l'île de la Tortue et Haïti. On alternait moteur et voiles pour avancer. La mer ressemblait à un lac et le vent cessait complètement par moments. La nuit était d'un calme merveilleux. Nous avons écouté de la musique de Noël et des valses de Strauss.

17 décembre 1991

Vers 4 h, en accord avec le *Barbara*, nous avons décidé de poursuivre à moteur. Il était impossible de maintenir un cap. Le vent était trop inconstant. La grande baie où nous avons mouillé ressemblait à un miroir. Dès notre arrivée, douanier, policier et colonel sont montés à bord. Ils étaient accueillants ; tout fut réglé rapidement. Nous sommes allés à terre immédiatement. Le village ressemble beaucoup à ceux du Venezuela. Petites maisons entassées, clôturées de bois et de barbelés sur lesquels on dépose la lessive, meringue à la radio, vaches, poules, cochons, chiens en liberté dans les rues. Les *bodegas*[34] sont aussi nombreux que les habitations. On y vend deux saucissons, trois bouteilles de rhum ou quelques fruits parfois envahis de fourmis. Il me fait plaisir de recommencer à parler espagnol.

17 décembre 1991

Le douanier nous a pilotés vers un nouveau mouillage mieux protégé. L'endroit se nomme Esterobalsa. Tout s'est bien passé. Quel calme !

18 décembre 1991

Nous sommes allés à Dajabon en puesto[35] afin de nous procurer de l'eau potable et du diesel. Nous avons loué un petit autobus pour la journée. Le conducteur nous a fait visiter la ville. C'est là que se trouve un passage frontalier avec Haïti. Le pont qui surplombe la rivière aux Massacres partage les deux pays. J'ai marché jusqu'à la ligne de démarcation. Un centimètre de plus et je changeais de pays. C'est fou les frontières.

En repartant, Nene, le conducteur, a heurté un camion. Des tas de gens sont accourus, se sont mis à s'engueuler, à nous engueuler, à commenter, à chercher un garagiste pour estimer les dégâts. Tout un cinéma ! Il y avait un phare cassé sur le camion, occasionné par un précédent accident et on voulait accuser Nene. Ce dernier était dans tous ses états parce qu'un officier l'avait bousculé ; des jeunes essayaient de le calmer. Sur le chemin du retour, il s'est arrêté chez toutes ses connaissances pour raconter ses malheurs. Il arrêtait le véhicule, descendait, claquait la portière et revenait aussi vite sans rien nous dire. C'était amusant de voir ses mimiques de désespoir et ses grands gestes pour décrire sa terrible aventure. On a terminé la journée par une crevaison.

19 décembre 1991

Aujourd'hui, nous avons loué un minibus pour faire des provisions à San Diego. Un guide de navigation suggérait de faire tous nos achats dans les supermarchés de la République Dominicaine à cause du coût peu élevé des marchandises. En voyant les prix, nous avons été très surpris ; ils sont équivalents à ceux des Bahamas. Il ne faut pas visiter les grands magasins, mais plutôt les marchés locaux. Je préfère ces grands marchés en plein air, fourmillant de gens qui marchandent, échangent, discutent. Tous les fruits et légumes sont dans les rues, par terre, ou sur les chariots de bois. Le bruit devient vite insupportable cependant, après plusieurs mois de vie dans la tranquillité. Il faut dire que les Latins ne sont pas les gens les plus réservés et silencieux qui soient ; c'est là leur charme et leur différence. Au retour, nous avons croisé plusieurs puesto bondés en panne le long de la route. Les normes de sécurité des véhicules n'ont pas l'air trop strictes ! ! !

20 décembre 1991

Rangement de tous nos achats.

Nous sommes vraiment dans un endroit très laid. L'eau est boueuse, nous avons devant nous un terrain vague avec de vieilles bicoques en ruine et de vieilles carcasses de bagnoles ; bref, c'est bien décevant de se donner tant de mal pour arriver dans un endroit pareil.

21 décembre 1991

Opération lavage et ménage.

22 décembre 1991

Nous avions chassé imperceptiblement depuis notre arrivée. Hier, nous avons découvert que la quille était prise dans la boue. Avec le vent dans la grand-voile, nous avons gîté suffisamment pour nous arracher de là.

23 décembre 1991

Je suis au lit ; ma vilaine grippe qui a commencé il y a deux jours n'est pas guérie et aujourd'hui, c'est pire. En arrivant dans une ville après des mois sur des îles désertes, nous sommes plus vulnérables aux microbes. Le système immunitaire se laisse assaillir. Tous les trois, nous souffrons de différents maux : fièvre, toux, gorge irritée, sinus bouchés, migraine.

24 décembre 1991

Nous allons passer Noël ici : nous n'avons pas pu obtenir les cartes marines que nous avions demandées à l'armée. Il faut aussi que la marée soit haute pour quitter ce mouillage. Nous avons cuisiné, dégusté un bon repas et nous sommes allés nous balader en ville. Les rues étaient presque désertes. Il y avait quelques fidèles à la messe, des flâneurs sur une terrasse et beaucoup de jeunes à la discothèque. On nous a dit que la grande fête se déroule plutôt le premier de l'an. J'ai vécu le Noël le plus nul de toute mon existence !

25 décembre 1991

Changement de mouillage pour être en eau profonde et propre. Nous pourrons partir sans tenir compte des marées et nettoyer la coque. Avec mon masque, j'ai pu voir de jolis coraux. Nous avons calqué les cartes marines que le gentil douanier nous a procurées. Demain matin à l'aube, il faudra aller chercher les papiers pour quitter cet endroit ; l'armée n'a pas voulu nous les remettre aujourd'hui. Si tout se passe bien, nous irons à Luperon.

26 décembre 1991

Nous avons reçu la visite de deux officiers qui ont retardé le départ jusqu'à 8 h sous prétexte que nous n'avions pas rempli certains papiers. Ils aiment bien faire usage de leur pouvoir, aussi limité qu'il soit. Nous sommes partis à moteur et quand le vent a fraîchi, nous avons hissé les voiles, mais pour une courte période car il a molli à nouveau et les vagues ont augmenté. Au lieu de nous battre, nous nous sommes abrités dans la baie de Monte Christie. C'est la méthode recommandée depuis le passage de Christophe Colomb. Le vent de terre souffle du crépuscule jusqu'à dix heures le lendemain matin et aplatit les vagues. Dès qu'il tombe, le vent du large prend la relève, parfois jusqu'à force 7. La mer grossit. Il faut alors tirer des bords contre le courant et le vent, ou combattre à moteur. Nous optons donc pour la navigation de nuit. Nous devions partir à 3 h, mais nous nous sommes réveillés à 4 h. Jusqu'à 8 h, tout allait bien, puis le vent est tombé et la mer s'est formée. Nous avons poursuivi avec grand-voile et moteur. Cependant, le presse-étoupe a encore sévi, ça fuit à plein tube. En plus, le moteur s'est mis à surchauffer. L'huile de l'inverseur s'est transformée en un caramel épais. Il a fallu la changer en pleine navigation. Entre-temps, le vent avait repris son souffle. Nous avons hissé le foc et tiré des bords.

J'aime bien ces conditions : un vent de 25 nœuds, des vagues de trois à quatre mètres avec une gîte assez prononcée. À la barre, j'ai l'impression de faire du rodéo ; j'adore quand l'écume explose sous le passage de *L'Échappée Belle*. Nous avons atteint Punta Rocia, dans la petite baie Ensanada, vers 7 h. Le *Barbara* nous avait devancés de deux heures en naviguant à moteur. Ce retard nous a évité la visite des militaires qui lui ont réquisitionné quelques gallons d'essence.

29 décembre 1991

Nous avons quitté le mouillage vers 22 h (le 28). La nuit a été très belle. Nous avons parcouru les 33 kilomètres nous séparant de Luperon à voile. L'arrivée fut assez stressante, entre les brisants et les filets des pêcheurs. L'endroit est calme comme un lac et nous comptons en profiter un moment. Le village est charmant avec ses quelques maisons d'écorce à toit de chaume, les inévitables cochons et vaches dans la rue, les meutes de chiens rachitiques, les marchands de denrées fraîches et peu coûteuses, des restaurants et un bar. Le commandante[36] qui est venu faire l'entrée nous a obligés à acheter un drapeau... fabriqué par sa femme. Une bonne façon de récolter un petit supplément.

30 décembre 1991

Visite de Puerto Plata en *guagua*, ces minibus bondés (25 personnes pour 3 sièges). Je suis heureuse que nous n'ayons pas jeté l'ancre ici. C'est sale, bruyant et peu protégé du vent. La semaine dernière, un voilier y a coulé. La ville est assourdissante avec ces centaines de motocyclettes roulant à toute vitesse. Il y a le coin des touristes, mais on n'en voit pas ; ils sont planqués dans leur hôtel ou sur des plages fermées, clôturées et entourées de barbelés. Les taxis se font un plaisir de leur faire payer 30 fois plus cher le trajet que nous effectuons en *guagua*. Ils ignoreront, par peur de l'inconnu, je crois, les délices locales, les kiosques ambulants, les boutiques minuscules dissimulées dans les ruelles, les cafétérias de travailleurs où la nourriture est savoureuse. Ils vont déguster dans des restaurants pour touristes, avec d'autres touristes, des mets qu'ils connaissent. Tout ce qui les préoccupe est de savoir si les glaçons sont faits d'eau purifiée. J'ai entendu si souvent cette question lors de précédents voyages au Venezuela et je les ai écoutés commenter leurs voyages quand je prenais des avions nolisés remplis de ce genre de touristes. C'était décourageant de les entendre. Si les voyages sont faits pour apprendre et comprendre ce qui se passe ailleurs, alors ils n'ont jamais vraiment voyagé... Plus bas, vers les quais, se trouvent les bidonvilles avec leurs montagnes de détritus, leurs rues boueuses, les maisons en mauvais état, bref, des lieux que les autobus climatisés effectuant des visites organisées se gardent bien de traverser. La promenade fut profitable pour localiser les magasins où nous procurer les choses qui manquent à bord.

31 décembre 1991

Nous sommes allés marcher au village pour célébrer le nouvel an. Tous les gens ont revêtu leurs beaux habits. Certains dansaient à la discothèque et beaucoup attendaient dans le parc les douze coups de minuit, pour faire éclater les pétards. L'alcool coulait à flot, comme partout dans le monde. C'est idiot au fond. Nous sommes tous là à attendre la nouvelle année, la planète entière est fébrile et il ne se passe jamais rien ; pour le plus grand nombre, ce sera la même vie monotone. Aucun problème grave n'est résolu, les guerres se poursuivent, la haine ne s'éteint nulle part dans le cœur des hommes. Bref, ce n'est qu'une occasion de fêter.

1er janvier 1992

Le plafond de la cuisine commence à tomber, contrecoup des navigations difficiles. Est-ce un mauvais présage en ce jour de nouvel an. Ha ! Ha !

4 janvier 1992

Escalade d'une montagne aux pentes abruptes et recouvertes de roches et d'un enchevêtrement de lianes. Les sentiers sont bordés de véritables murs de cactus de deux à trois mètres. Au sommet, on découvre une vue phénoménale de l'est de la République Dominicaine, de la baie de Luperon et de l'océan. Repos sur une plage pour les touristes, en grande partie déserte. C'est amusant de les rencontrer avec leur carte plastifiée au cou comme des toutous : leur laissez-passer pour retourner dans leurs cages à poules. Et on appelle cela des vacances.

9 janvier 1992

Le vieux Perkins est le centre d'attention depuis quelques jours. Bruce, que nous avons connu ici et qui est l'auteur d'un guide de navigation acheté en Floride, nous a conseillé d'engager un mécanicien, sergent dans l'armée. Après avoir jeté un œil sur notre presse-étoupe, Bruce nous a affirmé que tous nos problèmes provenaient d'un mauvais alignement du moteur.

Pendant deux jours, deux hommes sont venus à bord : un gros, le supposé mécano, et son copain tout maigre (pour faire le boulot dans ce coin inaccessible pour le gros). Ils ont regardé, discuté, bavardé et dévoré les biscuits faits par ma mère. Puis, ils se sont plaints longuement de tant de travail. En plus, mon père leur fournissait les outils, car ils n'en possédaient pas un seul (pour des mécaniciens, ça ne fait pas très sérieux). Nous nous étions rendu compte que l'un des quatre blocs de bois qui soutiennent le moteur avait cédé. Ils ont fait soulever le moteur deux fois par mon père pour jouer avec les pièces de bois, et en ont rapporté une chez eux pour soi-disant en fabriquer une semblable. Ils sont revenus avec quatre chutes de bois récupérées sur le quai, pour les remplacer toutes. Le petit a décidé d'enlever l'hélice et, dans son incompétence, a laissé tomber une pièce au fond de l'eau. Bref, au bout de deux jours, nous nous sommes retrouvés avec un moteur aligné au pif, la nécessité de faire usiner une pièce pour l'hélice et un presse-étoupe laissant toujours l'eau de mer s'infiltrer. Et ils réclament dix fois le salaire mensuel d'un mécanicien d'ici ! Bruce nous affirme que c'est scandaleux, mais comme il habite ici avec sa femme dominicaine, il ne peut rien faire pour nous. Le sergent pourrait briser son bateau pendant son absence, s'il intervient. Bonne recommandation que ce mécanicien ! Peut-être faut-il être prudent dans cette histoire, mais on en a ras-le-bol de se faire avoir. Déjà, en Floride, on a déboursé plusieurs milliers de dollars pour un mécanicien qui nous a répété pendant une semaine, alors qu'il essayait de remplacer des jauges : « So strange. » Avec notre naïveté et notre ignorance de la mécanique, nous sommes de belles poires. Il ne faut jamais faire confiance à personne. On essaie toujours de nous soutirer un maximum d'argent de toutes les façons possibles. Tous les navigateurs racontent les mêmes histoires. On apprend à nos dépens que l'être humain est malhonnête et pas seulement sur terre : l'eau est remplie de profiteurs. Ces démonstrations ne contribuent pas à améliorer mon opinion concernant le genre humain. Pauvre idéalisme, il en prend un coup. Je ne croyais pas être en voilier pour lutter continuellement, car la seule vue d'un gringo rend les gens fous. Moi qui espérais, par le voyage, rencontrer des peuples moins avides de richesses, moins dégénérés, capables de gestes gratuits ou de relations au-dessus des bassesses mercantiles. Pour l'instant, j'ai l'impression qu'on ne voit en nous que des machines à sous sur pattes.

C'est pareil au marché ou dans tous les endroits où il faut payer pour obtenir quelque chose. Mais ce comportement est tout à fait normal: il y a de riches équipages qui paient tout plusieurs fois le prix car justement les prix leur semblent dérisoires. Alors quand on passe après eux dans un village, il ne faut pas s'étonner de se faire regarder comme des billets de banque. C'est dommage, mais on ne peut rien y changer, car le seul fait de voyager sans travailler est suffisant pour que les gens qui vivent très pauvrement s'imaginent que nous avons beaucoup d'argent.

10 janvier 1992

Visite à Puerto Plata pour faire usiner la pièce. Le petit nous a accompagnés soi-disant pour négocier un prix. On a beaucoup marché pour trouver des conserves pas trop chères afin de remplir nos cales. Ce ne fut pas très fructueux. Vu l'heure tardive, nous avons pris des motocyclettes taxi pour pouvoir attraper le dernier *guagua*. Les deux mécaniciens nous attendaient sur le quai. Mon père leur a répondu qu'il avait communiqué avec un spécialiste Perkins aux États-Unis et que leur installation sur bois ne valait pas un clou. Il leur a dit de revenir demain pour discuter.

11 janvier 1992

Autre escalade dans la montagne avec visite à la plage, pendant que mes parents discutaient pesos. Dans les hôtels, les touristes paient un tarif fixe comprenant les repas et les chambres. C'est facile de passer pour un client de l'hôtel et d'obtenir ainsi nourriture et boissons. J'ai pu constater que plusieurs équipages de voiliers ne s'en privent pas. Belle mentalité !

Les mécaniciens sont en colère. Ils ne veulent pas accepter le prix que mes parents ont proposé. Le gros proférait des menaces pendant que le petit jouait avec son poignard dont il vantait les mérites. À suivre...

12 janvier 1992

J'ai connu, pendant mon séjour à Luperon, un jeune Espagnol habitant sur un voilier voisin. Aujourd'hui, il m'a invitée à la ferme d'un de ses amis. Cela m'a permis de rencontrer des gens accueillants et sympathiques et de faire de l'équitation dans une belle campagne, verdoyante en cette saison. Il était temps que mon espoir de côtoyer autre chose que des « requins » soit récompensé. Je pense qu'on peut entretenir des relations avec les Dominicains, sans être vu comme des gringos.

J'ai eu droit à un repas traditionnel et à un petit aperçu de la vie d'une famille en République Dominicaine. Au retour, la discussion avec les mécaniciens était terminée. Ils ont accepté de couper la poire en deux. Nous aurons nos papiers pour quitter le territoire sans problème. Eh oui, c'est le sergent mécanicien qui donne les autorisations pour pouvoir partir...

13 janvier 1992

Température non propice au départ.

14 janvier 1992

Cher Baloo ! Il était déjà entré par le passé à l'intérieur du voilier pour manger nos provisions et dormir sur le lit, mais heureusement, sans trop de grabuge. Nous l'avions dressé en plaçant un obstacle devant l'escalier, cependant il semble que ce n'était pas assez dissuasif, car hier, pendant que nous étions partis quelques minutes pour discuter avec un autre équipage, ce charmant toutou a mangé une douzaine de pains à sous-marins, 24 petits gâteaux et, les deux pattes sur la table, il terminait une meule de fromage hollandais au moment où nous sommes revenus. Il avait le ventre si rond qu'une fessée l'eût fait éclater. Tout cela en dix minutes. Dire qu'il nous fait des scènes à chacune de nos absences, comme si nous lui avions vraiment manqué. Quel comédien ! Il est tellement gourmand qu'il en oublie parfois de compter les membres d'équipage partis en annexe. Dès que celle-ci s'est éloignée, se croyant seul, après quelques pleurs pour donner le change, il s'empresse de descendre à la cuisine, tout confus en apercevant la personne qui n'a pas suivi les deux autres.

Au cours de l'après-midi, nous avons quitté Luperon. Nous avons échappé au pot-de-vin que le commandante nous avait demandé pour fournir l'effort tellement insurmontable de changer la date sur notre papier de départ, car nous étions retardés de 24 heures. Mon père a joué celui qui ne comprend pas l'espagnol ; c'est une technique efficace. La nuit fut douce, le vent faible et inconstant. Nous avons même fait du maïs soufflé (avec de l'huile bouillante bien sûr). Il y a 52 kilomètres entre Luperon et Sosua. Avec les bords, nous avons fait 18 kilomètres de plus. Nous sommes arrivés au petit matin.

15 janvier 1992

Sosua, quel enfer ! Dès 9 h, ce fut l'assaut des moteurs : barques semant çà et là des plongeurs venus voir les trois poissons et les quatre coraux de quelques centimètres qui constituent la faune et la flore de la baie ; *lanchas*[37] transportant des touristes cordés comme des sardines pour un petit tour en mer ; chaloupes tirant une demi-douzaine de personnes assises sur une sorte de banane jaune en caoutchouc et, le pire des fléaux, des dizaines de motos marines. Non contents d'envahir les plaines enneigées sur leurs motoneiges, ils polluent l'eau sur des versions aquatiques de ces engins. Tout ce beau monde plein de délicatesse se croyait obligé de tourner sans relâche autour des voiliers. Pourtant, la baie était immense. Sans doute voulaient-ils nous faire découvrir la fabuleuse gamme des teintes de leurs coups de soleil et nous faire ouïr le vrombissement mélodieux de leurs moteurs. Nous fûmes touchés par tant de sollicitude, alors que notre seul but était de nous reposer de la dernière nuit de navigation et de refaire nos forces pour la suivante. J'ai levé l'ancre sans regret.

16 janvier 1992

La nuit a été fantastique. Retrouver le silence, c'est merveilleux. Mon père est retourné une autre heure dans le coin presse-étoupe, comme à chaque navigation. Nous étions éclairés par les brillants éclats d'une lune presque pleine. Le vent, chance inouïe, adonnait. La mer était d'un calme étonnant et la brise si douce que les voiles se gonflaient à peine et faseyaient[38] par moments. Mais, je me sentais si bien que la vitesse importait peu. Avec un sandow de part et d'autre de la barre, *L'Échappée Belle* suivait seule sa route.

17 janvier 1992

La journée fut plus fatigante : la brise n'était pas plus forte et le soleil cuisait. Un vent oscillant entre travers et arrière nous a donné l'occasion de jouer avec les voiles. D'abord, grand-voile et foc en ciseau[39], puis grand génois[40]. Nous avons eu la frousse en voyant un immense bateau de croisière se diriger droit sur nous après un brusque changement de direction. Il est passé à quelques dizaines de mètres. Ouf ! Plus loin, il a repris sa route ; peut-être des touristes avaient-ils demandé d'approcher pour prendre des photos.

18 janvier 1992

La journée s'est terminée par un beau vent arrière nous permettant d'entrer à cinq nœuds dans la baie de Samana, accueillis chaleureusement par les acrobaties des baleines à bosse. C'est la saison où elles viennent se reproduire pour donner naissance, plus tard, à de gentils baleineaux d'une tonne. Nous avons mouillé devant Los Cacaos, un petit village en bordure d'une grande plage. Le nombre de cocotiers est étonnant. Des milliers d'entre eux recouvrent les montagnes. Superbe ! À peine l'ancre touchait-elle le fond que les autorités sont arrivées. Le commandante nous a dit qu'il était interdit de mouiller à cet endroit ; nous lui avons répondu que nous repartions le lendemain matin et il a laissé tomber. Au moment où nous nous mettions à table pour le souper, d'autres soldats sont venus. Puisque l'équipage du *Barbara* ne comprenait pas l'espagnol, c'est nous qu'ils ont sommés de partir. Mes parents ne voulaient pas bouger avant l'aube : le soleil se couchait et nous ne connaissions pas les côtes. Mon père leur a dit qu'il était interdit de nous refuser le mouillage, car le moteur était défectueux et il faisait noir. Il les a menacés de téléphoner à l'ambassade canadienne. L'argument était de taille. Le chef a demandé d'utiliser notre radio pour parler au commandant à Samana. Dès qu'il s'est retrouvé à bord, sans les matelots, il est devenu gentil. Il a fallu patienter une heure et il nous a quittés en disant qu'il veillerait sur nous afin que nous ne soyons pas victimes de larcins. Nous avons découvert qu'il est possible de tenir tête aux autorités.

19 janvier 1992

Moteur jusqu'à Santa Barbara. Jean-Pierre, du *Barbara* avec qui nous naviguons encore, et mon père sont allés voir les autorités. Personne ne s'étant présenté à bord à la fin de l'après-midi, les capitaines ont voulu en finir avec la paperasse.

20 janvier 1992

J'ai découvert un parc féerique en marchant avec mon chien : des chemins de briques rouges, bordés de bancs de pierre sous un dôme de cocotiers, d'orangers et d'une multitude d'autres arbres exotiques qui me sont inconnus, des fleurs écarlates et de magnifiques chevaux en liberté, tout cela donnant des airs de conte de fées. Pour compléter le tableau, il y avait quelques coqs multicolores et des poules suivies de leur minuscule progéniture. Dans l'après-midi, nous avons loué une *moto-concho* : c'est comme les pousse-pousse en Chine, mais c'est tiré par une motocyclette. Nous sommes allés à une cascade. Les chutes étaient petites, mais j'y serais demeurée tout le jour et plus encore. L'eau fraîche et limpide a un effet hypnotisant sur moi. Je n'ai plus le courage de soustraire mon corps à ces coulées de bien-être. Dans la montagne, il y a quelques huttes habitées et les femmes viennent à la cascade chercher de l'eau ou faire la lessive. Je vivrais volontiers dans un tel paradis. De l'autre côté de la route s'étend une immense plage abritée sous les cocotiers.

21 janvier 1992

Corvée d'eau sous les yeux attentifs des touristes agglutinés sur les bateaux-moteurs qui les amènent voir les baleines. Mes parents ont obtenu les papiers permettant de mouiller dans le parc national. Je suis heureuse de partir ; ici comme partout ailleurs dans les mouillages civilisés de la République Dominicaine, on a les oreilles cassées par la musique provenant des restaurants et des discothèques. On a l'impression d'être couché sur une radio à plein volume. En plus, il y a toujours au moins trois sources sonores différentes, ce qui produit une cacophonie à rendre fou.

22 janvier 1992

Nous nous sommes rendus au parc national à 22 kilomètres de Santa Barbara. Deux heures de belle navigation, vent de travers. Le décor est unique. De minuscules îles se détachent de la terre. Elles sont entièrement recouvertes de végétation et laissent entrevoir des grottes à la surface de l'eau, fermées par de longues lianes. Le site parfait pour un château hanté. Au coucher du soleil, de gros oiseaux noirs tournaient inlassablement au sommet.

23 janvier 1992

Visite d'une grotte immense peuplée de chauves-souris. Des ouvertures dans la paroi révélaient des lagunes séparées de la mer par de gros arbres dont les racines émergent de l'eau. Certains dessins, faits par les Indiens il y a 500 ans, sont visibles sur les parois. Ces voûtes immenses sont impressionnantes.

24 janvier 1992

Devoirs, leçon de dressage de Baloo sur une plage minuscule et nettoyage de la coque qui en avait un urgent besoin.

Je repoussais le moment d'exposer mes sentiments depuis longtemps, car je n'aime plus couvrir des pages d'insultes. Je ne peux plus souffrir mes parents. Leur seule vue, jour après jour, à l'heure des repas surtout, m'est insupportable. Leurs visages, leurs réflexions, leurs silences même, me remplissent d'un dégoût haineux. J'essaie de toutes mes forces de devenir sage, indifférente et au-dessus de ces bas sentiments, mais comment réussir, alors que chacun de mes changements d'humeur est prétexte à railleries ou reproches de leur part ? Les seuls mots qui me soulagent sont si injurieux que ceux qui m'échappent, lorsque je n'en peux plus, font planer la menace d'une gifle. Je me sens en lutte contre un bloc massif. Je peux discuter avec l'un ou l'autre séparément, mais quand je m'adresse aux deux à la fois, je suis prise au piège et chacune de mes paroles se retourne contre moi. Souvent, je m'emporte plus que je le voudrais et mes larmes coulent contre mon gré. Ça me fâche. Je préfère essayer de vivre en réduisant les contacts au minimum, en parlant le moins possible, mais là encore, je m'attire des commentaires : « Pourquoi tu fais la gueule ? » « Tu as l'air de mauvaise humeur », autant de commentaires et de questions qui me donnent envie de les envoyer promener. Je crois qu'à force d'être confinés dans un si petit espace vital, nous nous cherchons des poux pour évacuer notre agressivité les uns envers les autres.

26 janvier 1992

Je suis malade. C'est assez pénible d'avoir une gastro-entérite dans une baie où l'eau ne circule pas beaucoup...

27 janvier 1992

Visite d'une autre grotte encore plus haute dans laquelle une partie de la paroi s'est effondrée et laisse percer la lumière du jour et l'agitation de la jungle. Le tout donne une ambiance mystérieuse et l'envie d'imaginer une foule d'histoires invraisemblables. Vers 15 h, nous avons levé l'ancre, mais voyant que l'arrivée de la noirceur était imminente, nous avons rebroussé chemin, profitant d'une autre nuit sans vagues ni musique à tue-tête.

28 janvier 1992

Nous avons refait le trajet nous séparant de Santa Barbara avec grand-voile et moteur car nous étions vent debout. Le trajet a duré trois heures.

L'Échappée Belle *dans la baie d'Habatea à Nuku Hiva, Marquises.*

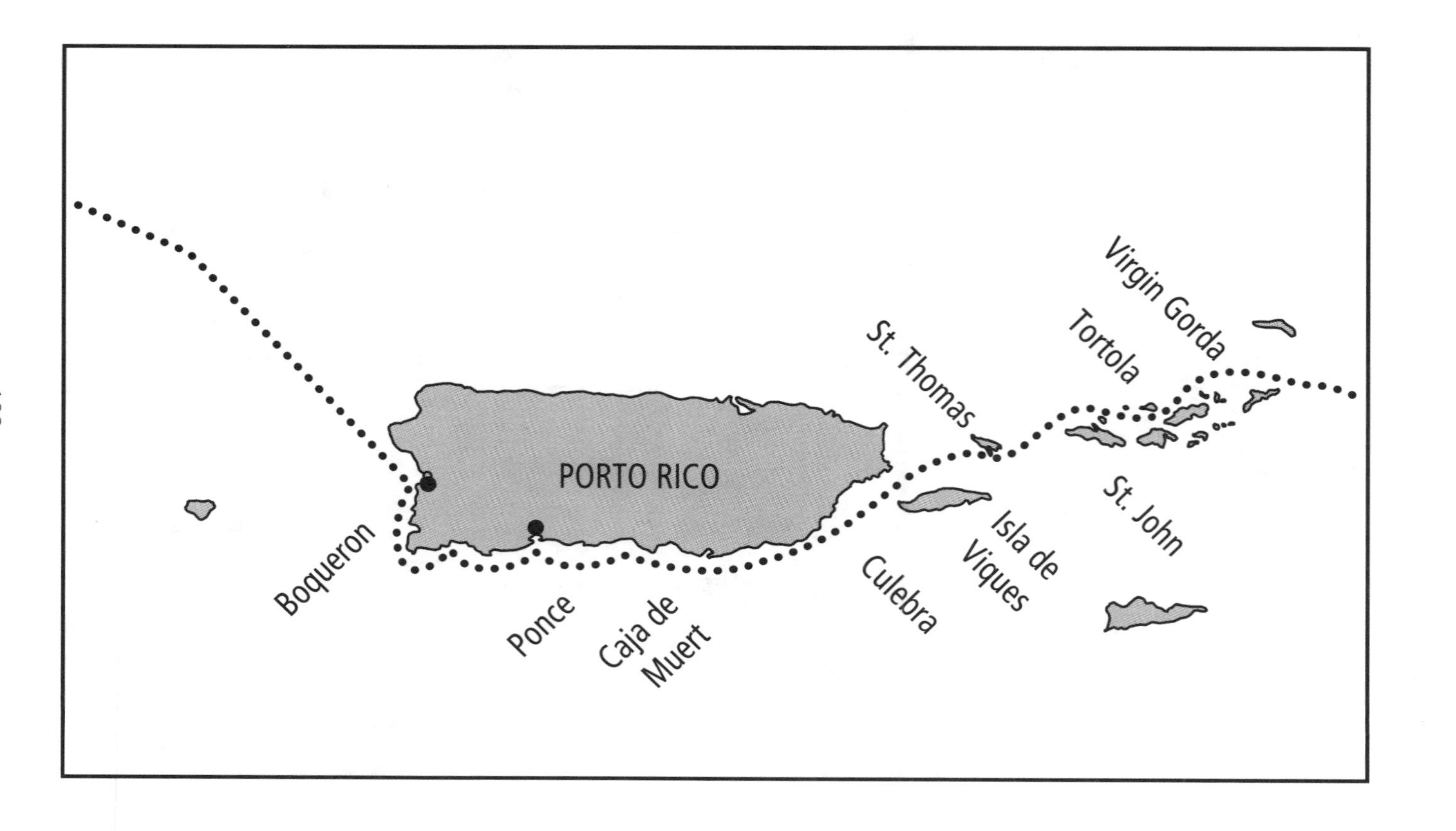
Virgin Gorda
Tortola
St. Thomas
St. John
Isla de Viques
Culebra
PORTO RICO
Caja de Muert
Ponce
Boqueron

Cinquième chapitre

Porto Rico

30 janvier 1992

Après l'obtention des papiers permettant de quitter la République Dominicaine, nous avons levé l'ancre vers 4 h. Nous avons dû nous mettre à trois pour l'arracher de la boue. On a même pensé qu'il faudrait larguer le mouillage. L'eau était tellement boueuse qu'il était impossible d'aller voir si l'ancre était coincée. Nous sommes sortis de la baie à moteur et nous avons eu la chance de voir plusieurs baleines à proximité du voilier. La dernière vision d'Hispañola est un coucher de soleil tout rose servant d'arrière-plan aux acrobaties de ces immenses mammifères. Après deux heures de voile, il a fallu repartir le moteur : le vent très faible nous poussait dans la mauvaise direction. Nuit entière à moteur avec quelques tentatives infructueuses à voile. Nous avons eu la visite nocturne de quelques baleines trahies par l'expulsion de leur souffle qui fait jaillir des fontaines d'eau. Le soleil s'est levé sur le spectacle toujours impressionnant de la plongée d'un de ces gros mammifères. Puis nous avons effectué un autre deux heures de voile avec le petit génois. Journée de moteur, mais vers 6 h, le vent s'est levé et la nuit a été agréable sans le bruit de l'engin.

À bord, l'utilisation du moteur est une source constante de querelle entre mes parents. À partir de quel moment faut-il le démarrer ? Est-il préférable de se rendre le plus vite possible à destination ? L'un déteste le bruit, prône la patience et l'attente du vent même si l'on reste sur place. L'autre s'impatiente et parle de sécurité. Difficile de décider sans mécontenter l'un ou l'autre. Moi, je suis plutôt pour la voile à tout prix, même si l'on cule. Le bruit du moteur la nuit est tellement désagréable et me fait détester la navigation. Il est vrai que le vent est parfois si faible qu'il gonfle à peine les voiles ; elles faseyent, la barre devient molle et le bateau est ingouvernable. Je suis étonnée de voir le grand nombre de voiliers à moteur. Tous ceux qui sont partis le même jour que nous sont à destination depuis 24 heures et beaucoup d'autres nous ont doublés. Pourquoi achètent-ils des voiliers alors ?

31 janvier 1992

Ce deuxième jour de trajet a été extraordinaire. Nous avons hissé le grand génois après avoir réalisé que nous augmentions ainsi notre vitesse. Nous poussions des pointes de six nœuds et plus. Nous avons bénéficié de l'agréable compagnie des baleines et des dauphins. Mon père a remis le moteur en marche peu avant la disparition du soleil, car le jour baissait rapidement. Nous avons finalement mouillé de nuit avec le projecteur de pont pour éviter les autres voiliers. C'est le dernier long trajet avant les sauts de puce entre les îles de la mer des Caraïbes. Le passage de Mona, souvent redouté par les navigateurs, car les vents de saison y créent des vagues hautes et courtes et des courants étranges, fut pour nous une jolie promenade. Nous sommes chanceux.

2 février 1992

Nous nous sommes rapprochés de la terre. La baie

de Boqueron est très belle. L'eau, sans être claire à cause du fond boueux, est propre et d'un magnifique bleu pâle. Une très longue plage couverte de palmiers longe une partie du mouillage où l'on compte une quarantaine de voiliers en plus de ceux de la marina. Derrière la plage s'étend un grand parc que j'apprécie pour faire courir mon cher Baloo. La ville est petite, mais on voit que le pays est américain malgré la langue espagnole. Ce fut une grosse erreur de croire le guide de navigation qui recommandait de s'approvisionner en République Dominicaine. Les denrées alimentaires et les conserves sont beaucoup moins coûteuses ici. Leçon inutile puisque nous ne repasserons pas sur cette route.

3 février 1992

Lessive avec de vraies machines à laver. Quel luxe ! La dernière fois, c'était en août 91.

4 février 1992

Promenade dans les rues de la ville, au cimetière et dans tous les coins.

5 février 1992

Nous avons commencé à piquer le pont, à appliquer le zinc et le goudron époxy. Il commençait à être envahi par la rouille, il fallait réagir.

6 février 1992

Aujourd'hui encore, j'ai ressenti cet état qui revient souvent : je n'ai plus le goût de faire quoi que ce soit, à part lire ou paresser. La seule pensée d'activités programmées et quotidiennes, comme la promenade de Baloo ou les cours, me dégoûte et me rend léthargique. Je ne pourrais jamais faire le même boulot jour après jour, à la même heure. Ça me rendrait folle. Je mets ces moments noirs sur le compte de la fatigue, mais en fait, je n'ai pas compris leur cause. Seule la navigation me procure encore une joie réelle et un sentiment de nouveauté. Peut-être que la présence des coraux, des poissons et de l'eau transparente me rendra un peu de vivacité. Allons-y !

Ce soir, c'est mieux ; j'ai même fait des maths en supplément des devoirs d'aujourd'hui. Quand je comprends de nouvelles choses, je retrouve mon aplomb.

8 février 1992

Tentative d'étude avec le moteur en marche, mes parents et Jean-Pierre piquant[41] le pont au marteau et à la sableuse, le bruit de la génératrice. Hum ! Ma faculté de concentration n'est pas si mauvaise.

11 février 1992

Le pont et le roof sont d'une blancheur éclatante ! Pour combien de temps ? C'est une autre histoire. Mes parents ont mélangé du sable avec la peinture pour couvrir les plats-bords et le pont avant, sinon ils seraient devenus une véritable patinoire à la première vague. L'annexe a l'air tout neuf depuis que j'ai enlevé les traînées de rouille. J'aime que tout soit propre et joli. Mon père a frotté et repeint, couleur aluminium, toutes les charnières, vis, ferrures qui sont apparentes sur le pont et le cockpit. Aujourd'hui, c'est le grand ménage. On a lavé les moquettes, les housses de coussins (quelle corvée de les remettre en place), les planchers ; on a balayé et épousseté. Il nous reste à repeindre la cuisine, le cockpit, ma cabine, le coin toilette et certaines parois recouvertes de liège par des gens au goût douteux.

Hier, c'était l'événement courrier. Nos lettres s'accumulaient chez une tante depuis septembre. Les nouvelles n'étaient plus très fraîches quand nous les avons reçues ici, et les expéditeurs devaient trouver que les réponses étaient longues à venir. Nous étions heureux de toute cette lecture. J'ai eu un pincement au cœur devant ces marques d'amitié et la pensée de cette vie que j'ai quittée. J'irais bien une semaine, bavarder avec les copains, voir ce qu'ils deviennent et peut-être me débarrasser des vilains petits regrets qui se faufilent parfois dans mes pensées. J'ai hâte de barrer.

(Extraits d'une lettre envoyée à ma meilleure amie Annabelle:)

Si je ne peux plus mêler ma folie à la tienne, c'est que ma nouvelle existence ne s'y prête plus. Je suis si loin de ces désespoirs artificiels, de cette quête de motifs justifiant ma présence sur terre, de ce désir de mort et de ce dégoût à la pensée de devoir attendre si longtemps le sommeil délicieux de la fin. Ici, tout me parle de vie, d'espoir, de beauté, de curiosité. Je ne peux y rester insensible, ce serait pur suicide. Je ne veux point par là manifester un mépris idiot pour cette période noire mais le changement était inévitable avec tant de nouveaux horizons devant moi. La vie est devenue terriblement courte et je me suis prise à souhaiter l'éternité pour ce corps qui me permet de suivre la pulsation du monde et qui me comble de grands frissons de vie (oui, c'est le seul mot qui exprime l'éveil qui s'est produit en moi). Mille projets hantent maintenant mes pensées et me pressent d'agir car il est déjà bien tard. Toutes mes émotions sont cent fois plus vraies. Je sens enfin mon cœur battre, mon sang couler à toute vitesse dans mes veines. Mes yeux ont quitté ce brouillard gris qui déformait tout et n'ont plus peur d'observer le frémissement de l'univers. Au-dessus de la laideur humaine, de l'atrocité des guerres, de la destruction imminente de la terre, je peux encore me bâtir un paradis avec les morceaux purs et beaux qui restent. Je défendrai avec rage mon droit à la liberté et à une vie comme je l'entends car quand on en a entrevu la possibilité, impossible d'y renoncer pour aller s'abrutir dans le troupeau parmi ces larves malléables à l'extrême. La solitude et la difficulté de vivre dans cet espace réduit ne pourront jamais m'apporter le moindre regret ou le désir de retourner dans ce confort abrutissant de l'ennui.

C'est si fabuleux de barrer *L'Échappée Belle* par une nuit étoilée, caressée par la brise, impatiente de découvrir le pays qui me sera dévoilé dans l'exquis chatoiement rouge orange d'un lever de soleil. Comment réprimer un cri à la vue d'une immense baleine qui avance à une vitesse exceptionnelle pour sa taille ? Des instants comme ceux-là sont vifs et bouleversants. La peur en pleine tempête, la peur physique, la vraie qui fait agir à toute vitesse et dicte des réactions qui nous étonnent après par leur bon sens, est aussi une sensation fascinante et nouvelle. Parfois, de brefs éclairs de lucidité me révèlent l'aspect féerique de ce que je vis et, alors, ma respiration s'arrête et un sourire irrépressible naît sur mes lèvres, émanant de tout mon être.

12 février 1992

Aujourd'hui, on a poncé et repeint en vert les retouches de la coque. Je maintenais l'annexe en place pendant que mon père faisait le travail. Le résultat est satisfaisant. La peinture neuve s'uniformise avec l'ancienne. Il reste à faire la corvée d'eau et à tracer la route.

13 février 1992

Aujourd'hui, nous avons repeint le cockpit, la cuisine, les coffres, quelques pans de murs et ma cabine, tout en blanc pour plus de luminosité. Une maison neuve !

14 février 1992

C'est mignon de rencontrer les amoureux avec de gros cadeaux rouges et pleins de cœurs. Nous sommes allés à Cabo Rojo en *publico*[42]. Quel confort en comparaison des *guagua* ! Nous voulions recevoir des vaccins. Après avoir mis une demi-heure pour répondre à différents formulaires, nous en avons reçu un seul. Trop compliqué. C'est drôle d'avoir un dossier médical sans être officiellement venu à Porto Rico. Nous n'avons pas déclaré notre présence, car il faut payer un montant élevé pour avoir le droit de naviguer en eaux américaines.

15 février 1992

Hier, mon père a capturé un gros poisson et nous le dégustons ce soir avec l'équipage du *Barbara*. Ils partent demain matin. Finalement, ils ont pris la décision de vendre le voilier et d'arrêter de naviguer. C'est triste, un voyage qui prend fin. Songeant qu'on pourrait être partis pour un an seulement, j'ai paniqué. Je m'aperçois que j'adore cette vie et que le retour serait épouvantable. Je vais tout faire pour trouver un bateau et partir seule ou aller étudier à l'étranger. Je suis une inadaptée de la société.

16 février 1992

Le *Barbara* a levé l'ancre très tôt ce matin, mais il est

revenu, incapable de franchir le cap de Cabo Rojo. Il est déconseillé de le faire de jour ; le vent est trop violent et toujours de face. Il faut passer la nuit, à moteur. C'est sympathique ; je me suis fait une copine qui possède un labrador noir du même âge que Baloo. Nous les laissons courir et nager ensemble. J'ai visité son voilier, si on peut appeler ainsi cet appartement flottant. Un ketch[43] de 16 mètres avec enrouleur, deux guindeaux électriques, tuyaux d'arrosage à eau douce, dessalinateur fabriquant 60 litres à l'heure, radar, ordinateur, GPS, téléviseur, magnétoscope, deux salles de bains avec douche, une machine à pop corn, un jeu vidéo dans la cabine de la fille, etc. Je me suis demandé si l'immense poisson de verre ornant leur salon avait affronté la mer ? Cet équipage est bien amusant ; ils

Baloo parle aux dauphins entre Caja de Muertos et Salinas, Porto Rico.

affalent les voiles pour naviguer à moteur et hissent la voile d'artimon[44] au mouillage afin de stabiliser le bateau. Étrange ! Après tout, chacun utilise ses voiles comme il l'entend... Ha ! Ha !

18 février 1992

Nous avons quitté Boqueron à 8 h 30 en compagnie du *Barbara*. Le moteur émettait un bruit étrange et ne voulait pas embrayer. J'ai plongé pour vérifier si rien n'empêchait le mouvement de l'hélice. Il s'est rétabli tout seul. J'oublie souvent de parler du temps que mon père consacre au moteur pour ajuster le presse-étoupe, visser un boulon par-ci, un autre par-là, peinturer certaines parties ; il a même enlevé tous les fils électriques désuets, avec lesquels nous aurions pu gréer cinq autres voiliers. Malgré tout cela, le cher Perkins n'est pas en forme. À Ponce, mon père recommencera l'alignement et fera usiner un presse-étoupe. Nous avons jeté l'ancre à Ensanada vers 12 h 30. C'est décevant de s'être donné tant de mal pour mouiller dans l'eau brune, devant les cheminées et les bâtiments désaffectés de vieilles usines. L'entrée était marquée par des bouées, mais avec le vent, c'était un peu inquiétant. Au cours du trajet, la chance nous a quand même servis. Selon le *Barbara*, qui avait acheté une carte marine détaillée, nous avons longé une bouée indiquant un haut-fond d'un mètre. Avec notre tirant d'eau, c'est dire que nous sommes passés entre les têtes de corail. Nous avons aussi évité de justesse (pas plus de 2 mètres) une chaloupe de pêcheurs. Mon père était à la barre et enfilait son harnais quand ma mère est sortie du carré et a aperçu juste à temps la lampe de poche du pêcheur. Heureusement qu'il y avait la lune, car notre lumière de mât est défectueuse et il n'aurait pas pu nous voir. J'aime mieux ne pas imaginer ce qui aurait pu arriver.

Je suis dégoûtée de l'école. Je suis nulle, je n'avance pas, je ne comprends rien. Je n'ai pas le goût de continuer. Je fais une overdose de mathématiques. Chaque fois que je prends mes livres, j'ai envie d'éclater en sanglots. Je revois ce que j'ai fait deux jours auparavant, et je ne comprends plus rien. Plus je fais des exercices, plus je suis larguée. J'ai piqué ma crise de nerfs bi-mensuelle. Je suis incapable d'avoir dix minutes de silence. Je trime sur mes devoirs et il y a mon père qui se croit obligé de nous faire partager un mot sur deux de tout ce qu'il lit. C'est facile de se concentrer sur une leçon de géographie pendant qu'il lit à haute voix ce qu'il faut faire pendant un ouragan avec des vagues de 15 mètres, ou comment réparer un tiroir. Ou bien, il y a ma mère qui parle au chien : « Oui, mon ti-pitou, tu voudrais bien aller à terre, hein ? » Je le sais, merde, qu'il faudrait que je l'amène à terre, mais là, je bute sur un problème de maths incompréhensible. Je me retiens pour ne pas tout abandonner. On me parle de promenade et après on me reproche de ne pas prendre mes responsabilités. Grrrr ! ! ! Mon père semble croire que mes devoirs n'ont aucune importance. Lui, il travaille, lui, il fait des efforts mais moi, je m'amuse. Oui, en effet, c'est palpitant de faire des maths ! Je suis vraiment très, très en colère !

22 février 1992

Nous sommes ici depuis cinq longues journées à attendre que le vent daigne se calmer un peu. Il hurle de 9 h à 21 h avec une force de 30 à 35 nœuds. Deux jours après notre arrivée, nous nous sommes déplacés vers un endroit plus protégé. Le mauvais temps est causé par une zone de haute pression stationnaire. Il semble aussi que les jours de pleine lune sont toujours venteux. Et pourtant le bulletin météo s'entête à parler de vent de 10 à 15 nœuds alors que tout s'envole et que les deux ancres travaillent un maximum. On dirait que la radio donne la météo du port où est situé l'émetteur. Puisque aucun changement n'est prévu, nous partirons demain pour Ponce avant de devenir fous. Si on veut atteindre le Venezuela avant 1993, il faut faire un peu de route.

24 février 1992

Discussion avec ma mère. Elle m'en avait déjà parlé, mais je ne croyais pas que c'était si grave. En résumé, si je continue à m'adresser à mon père comme je le fais, il va se fermer à mes paroles et me rayer de sa vie pour ne pas se laisser blesser par mes propos. Quand je suis en colère, je veux avoir le dernier mot et je dirais n'importe quoi pour cela. Pourtant, il faut que j'exprime ma pensée, sinon je deviendrai folle. Je ne supporte aucun commentaire, aucune suggestion... surtout de mes parents. Je ne savais pas que je blessais mon père à ce point. Je vais tenter de me maîtriser, mais je suis incapable de céder quand on s'engueule. Il faut qu'on change de place, je suis à bout côté parents. Bof ! Pas nouveau. Et si je suis si blessante dans mes propos, je sais de qui je tiens cela, car mon père est un as à ce petit jeu et il m'a lui aussi blessée plus d'une fois.

26 février 1992

Hier, un voilier nommé *Chatam* est arrivé. Déjà, mes parents avaient aperçu ce bateau dans la baie de Ponce quand ils y sont allés en *publico*. Mon père portait ce surnom dans sa jeunesse. Le voilier était immatriculé à Québec, et quand le capitaine est venu nous voir, mon père et lui se sont découvert un ami commun. Le monde est petit. Francis est monté à bord et a fait des suggestions à propos du presse-étoupe. Un ingénieur marin, quelle chance pour nous ! Ils nous ont aussi suggéré d'enregistrer notre voilier au Québec. Nous n'aurons à payer les taxes que le jour où nous entrerons en eaux territoriales canadiennes. Mes parents ont envoyé une demande. Il reste à espérer que les fonctionnaires d'Ottawa se réveillent.

Je voudrais avoir mon voilier et ma propre vie. Encore un accrochage avec mon père qui s'est terminé par : « Calvaire que tu m'énerves ! » J'ai répondu : « C'est réciproque. » Comment maîtriser mon tempérament impétueux et intolérant ?

27 février 1992

Enfin ! Nous avons quitté Ensanada ! ! ! Nous sommes partis au coucher du soleil afin de bien identifier le chenal. Encore une fois, le *Barbara* a déchiré sa grand-voile : « Prise de ris, Jean-Pierre », « Soulage tes voiles, Jean-Pierre », et bla bla bla. « Oui, oui Michel » et scratch ! ! ! « *Barbara* à *L'Échappée Belle*, j'ai déchiré mes voiles, mais pas de problème ! » Soupir de *L'Échappée Belle*.

Nous avons atteint l'entrée du chenal en fin de matinée. Mais voilà que le moteur s'est mis à accélérer tout seul. On l'a remis en position normale et il a recommencé, puis s'est arrêté pour de bon. Nous avons hissé les voiles, mais le vent était si faible que nous dérivions. Le *Barbara* nous a remorqués lentement. Avec la poussée du vent dans notre grand-voile, il n'avait pratiquement aucun effort à fournir. L'aussière de remorquage ne se tendait pratiquement pas. C'était une sécurité et cela nous a évité de tirer des bords pendant plusieurs heures pour traverser un chenal d'à peine un mille. Il nous ont conduits au mouillage. Ah ! un bon lit douillet malgré la houle inconfortable.

29 février 1992

Le *Barbara* nous a remorqués vers un autre mouillage moins roulant. Certains voiliers s'entraînaient à faire des virements de bord, probablement pour de futures régates. Les équipages connaissaient les manœuvres. Ils viraient à un ou deux mètres les uns des autres et se touchaient presque. Cela me donnait envie de faire de la voile pour le plaisir, sans avoir une destination fixe, allant là où le vent me porte. Pour nous, de telles sorties sont rares. J'ai bien observé les équipages qui ancraient à voiles. C'est si joli à voir.

Pendant que j'explore d'éventuels lieux de promenade pour Baloo, mes parents tentent de réparer le moteur. Ils ouvrent le manuel du mécanicien et ils font des essais.

1er mars 1992

Nous sommes partis en balade à Ponce. Un taxi nous y a amenés gratuitement parce que c'était le carnaval. Nous avons déambulé dans cette jolie ville bondée de monde et assisté à un défilé de fanfares, chars allégoriques, reines de ci ou ça, champions sportifs avec leurs trophées, majorettes, *cheer leaders*, vieux motards, les « Wild Rebel », et beaucoup de gens déguisés en monstres de tout poil distribuant des coups de bâton. Après le calme qui régnait sur le voilier, c'était étourdissant ! Le centre-ville est superbe. On dirait un décor tellement tout est propre et neuf. Toutes les constructions, d'inspiration coloniale espagnole, ont été rénovées récemment. Le théâtre est magnifique avec ses colonnes et ses dorures, de même que les maisons aux multiples balcons. Il y a aussi une caserne de pompiers datant de 1883, parfaitement restaurée, avec les chars de pompiers lustrés et scintillants, et les façades rouges et noires éclatantes. Nous sommes revenus à la nuit, après avoir marché longtemps. Un conducteur secourant un autre automobiliste sur la route nous a finalement ramenés chez nous. J'ai retrouvé avec joie la sécurité de mon petit univers marin !

3 mars 1992

Aujourd'hui, journée de courses. Ma mère et moi d'un côté et mon père du sien avec une longue liste pour les besoins du moteur et du voilier en général. Quand nous eûmes terminé, il n'y avait plus de *publico* à cause de l'heure tardive. Nous avons utilisé un moyen pratique de dépannage : le stop. Les Portoricains nous disent que c'est dangereux et, pourtant, nous avons rarement vu des gens aussi serviables, sympathiques et nullement avares d'aide et d'informations. Le moteur est reparti, mais il reste à colmater la fuite.

5 mars 1992

Mon père a acheté un nouveau panneau électrique. Aujourd'hui, il l'a installé. Il en a profité pour améliorer certains circuits : séparer la lumière de mât rouge/verte, de la blanche utilisée au mouillage. Il se débrouille bien pour un néophyte de l'électricité. Il serait temps que j'apprenne. D'après ce que j'observe, il faut savoir tout faire sur un voilier quand on ne veut pas se faire bouffer tout cru. Le moteur commence à être moins mystérieux. Mes parents ont identifié et réparé la panne sans aide extérieure. Ils prennent de l'assurance.

11 mars 1992

Dans mes lettres, je n'arrête pas de vanter cette nouvelle existence. Est-ce que ce sont mes sentiments profonds qui surgissent à mon insu ? Dans le quotidien, je suis loin de ressentir « le bonheur total » que je décris à mes correspondants. Peut-être que j'attends beaucoup plus des pays à venir, de la suite du voyage. Je suis engourdie par la routine école-Baloo-petits travaux. Ne nous y trompons pas, le voilier, c'est un peu d'aventure et beaucoup de réparations et de contretemps...

15 mars 1992

Souvent, je cherche à parler avec mes parents ; je ne sais pas quoi dire. Les mots restent bloqués. Malgré mon agressivité pour leur présence constante, j'ai parfois besoin d'eux, ne serait-ce que pour éviter de penser à ce qui me rend malheureuse. Mais ils vaquent à leurs petits travaux, ou font autre chose et coupent la conversation qui n'en était pas une et que je ne souhaitais pas finalement, car je ressens comme une faiblesse ce besoin de leur parler. C'est confus. Je ne sais comment les retenir, j'ai l'impression d'être coupée dans mon élan et terriblement seule. J'aurais tellement besoin de copains de mon âge.

18 mars 1992

Crise entre mes parents dont je n'ai pas envie de parler. C'est souvent à propos de leur vie depuis une quinzaine d'années. Ce n'est pas pour rien qu'ils ont été séparés presque 11 ans sur ces 17 ans. Mon père a toujours eu besoin de changements et de nouveaux projets, ma mère avait la responsabilité de s'occuper de moi, alors il est certain qu'elle me donnait toute la place, ce qui ne plaisait pas nécessairement à mon père qui a besoin de beaucoup d'attention. Je ne comprends pas toujours la complexité de leur relation qui est souvent si tendue et je préfère parfois m'éloigner pour ne pas avoir de chagrin. Je n'ai pas tout entendu. Je suis allée dehors, j'avais trop de peine. Au milieu de la crise, un autre équipage est arrivé en visite pour des adieux. Quelle tristesse...

19 mars 1992

J'ai parlé avec ma mère de l'éventualité de continuer le voyage toutes les deux. On a parlé de tout, de mon père, de leur relation.

21 mars 1992

Nous avons dîné chez une famille portoricaine dont le père nous avait pris en stop un jour. Nous les avions revus à un concours de cerfs-volants au cours duquel le père avait triomphé. Nous avions admiré de véritables chefs-d'œuvre. Ils nous avaient alors présentés tous leurs amis. De leur maison, nous avons une vue panoramique de Ponce illuminée. Un spectacle que je n'avais pas observé depuis longtemps : une ville vue de plus haut que le niveau de la mer. Nous avons fait une balade en autobus d'époque.

22 mars 1992

La famille portoricaine est venue à bord. Ils ont été nos premiers invités terrestres. Malheureusement, ils n'étaient pas très à l'aise sur l'eau et, par surcroît, nous avons essuyé un grain. J'ai passé pour une héroïne, dans la soirée, en sautant par-dessus bord pour récupérer l'annexe partie à la dérive. J'ai apprécié cette visite, car il y avait une fille de mon âge. Enfin ! Je n'avais encore jamais rencontré d'adolescents depuis mon départ.

25 mars 1992

Hier soir, nous avons vécu une situation très étrange.

Un voilier américain faisait jouer une musique country à pleine capacité alors que tout le monde était couché sur les autres voiliers. Mes parents l'ont d'abord éclairé avec une lampe de poche, puis avec la lumière de pont, afin de lui indiquer d'être plus discret. Il a alors augmenté le volume. Mon père lui a hurlé de baisser sa sono. Il nous a injuriés en retour et, quelques minutes plus tard, quelqu'un s'approchait en annexe. C'était un jeune Espagnol invité par l'Américain. Il s'est excusé en disant qu'il essayait de calmer le capitaine depuis longtemps, mais que ce dernier ne voulait rien entendre. Il est reparti, on a entendu une dispute, l'Espagnol criait : « Ne fais pas ça, il y a une jeune fille à bord. » Puis une explosion, et le silence...

27 mars 1992

Nous venons d'apprendre la suite de l'histoire d'avant-hier. Le Texan a pris un couteau pour venir à bord de notre voilier. Le jeune Espagnol l'a assommé pour l'en empêcher, mais en reprenant ses esprits, il a sorti un pistolet à fusées de signalisation. Il voulait mettre le feu à nos voiles. Il a trébuché, la fusée est partie en direction de la femme accompagnant le jeune Espagnol. Il a tendu sa main pour la protéger et il a eu le pouce calciné. Le capitaine américain ne s'est plus montré de jour sur le pont et il a levé l'ancre le surlendemain à l'aube. Cet incident est regrettable. J'ai eu l'occasion de discuter avec la jeune femme qui était à bord. Le couple vient d'Espagne. Ils ont failli sancir[45] entre Sainte Lucie et les Îles Vierges. Une bourrasque a couché leur voilier, déchirant les deux voiles et inondant tout l'intérieur. Ils sont finalement arrivés à Porto Rico avec deux voiles de secours, sans papiers, ni passeports ni argent. Ils ont tout perdu. Nous n'étions pas les seuls à ne pas apprécier la musique cette nuit-là : d'autres équipages sont venus nous faire part de leurs commentaires, raconter l'explosion et mentionner que les Texans cherchaient toujours la bataille quand ils buvaient.

29 mars 1992

Ce mois à Ponce a été riche en améliorations pour le voilier : nouveaux fils électriques, nouvelle entrée d'eau pour le remplissage des réservoirs, nouveau tuyau pour la pompe de cale manuelle, une toilette qui fonctionne enfin et, merveille des merveilles, un presse-étoupe parfaitement étanche. Papa, en s'aidant de conseils glanés ici et là, a dessiné la pièce et l'a fait usiner. Je ne servais pas à grand-chose dans tout ce boulot ; je me suis contentée d'aider ici et là et de continuer mes études. Nous avons aussi réapprovisionné le voilier. Chaque parcelle de rangement est remplie ; il y a même des conserves sous mon lit, sous la table, et des sacs de nourriture à chien attachés par des sandows au mur de la toilette. Je n'exagère rien si je dis que la ligne de flottaison a baissé.

3 avril 1992

Nous avons levé l'ancre ce matin. Nous avons parcouru les 13 kilomètres nous séparant de Caja de Muerto en quatre heures. Un peu de voile pour retrouver le plaisir de la navigation et le reste à moteur pour vérifier le fonctionnement du nouveau presse-étoupe. C'est agréable de ne plus pomper continuellement.

6 avril 1992

Les quelques jours sur cette île furent merveilleux. La dernière baignade dans des eaux turquoises et limpides remontait à Clarencetown aux Bahamas, il y a quatre mois. Il y a, à Caja de Muerto, de belles plages de sable doré et des galets aux couleurs pastel. Les voiliers et bateaux-moteurs de Porto Rico viennent s'y ancrer le week-end, mais la semaine, c'est désert. Un centre touristique bien intégré à l'environnement y sera bientôt ouvert, le jour seulement ; c'est un centre d'interprétation de la nature, des espèces animales et végétales et de l'histoire. Nous avons grimpé jusqu'au phare. À mi-chemin, il y avait un monument élevé à la mémoire de francs-maçons exécutés ici. Ils tenaient leurs réunions sur cette île pour ne pas être persécutés par le gouvernement.

La plage de la côte ouest est interdite aux vacanciers ; c'est l'aire de reproduction des tortues et, comme les œufs enfouis sont impossibles à repérer, on pourrait les abîmer. Une autre partie est aussi clôturée parce que les oiseaux y nidifient. Ils vivent à Porto Rico et viennent pondre sur cette île.

7 avril 1992

Nous nous sommes rendus à Salinas avec quelques difficultés. Le moteur ne se refroidissait plus. En 45 minutes, mes parents avaient diagnostiqué le problème, vidé le pot d'échappement, l'avaient remis en place, avaient enlevé la pompe d'eau de mer et remplacé la roue à aube chargée de faire circuler l'eau. Pas mal, non ?

Trois dauphins nous ont accompagnés pendant plus de deux heures. Ils sont si beaux. Baloo a réagi bruyamment. Il jappait de sa voix de soprano d'opéra et pleurait comme s'il voulait les rejoindre. Je leur ai joué de la flûte ; ils tournaient et sautaient. Je ne me lasse pas de leur compagnie.

11 avril 1992

Nous sommes à Salinas depuis quatre jours et attendons que le vent se calme. À chaque fois que nous mouillons dans ce qu'on appelle un trou à ouragan, c'est-à-dire une baie parfaitement abritée, nous avons une démonstration de la puissance du vent. On croirait que ces endroits sont des stations balnéaires pour ouragans retraités. Le 8, nous avons fêté les 45 ans de ma mère avec des canapés à la poulpe, du crabe et d'autres délices. Pas mal pour de misérables gens de mer !

14 avril 1992

Nous avons parcouru neuf kilomètres à grand-voile et moteur pour jeter l'ancre dans la baie de Jobos, en face de Central Aguirre.

Je suis contente de faire de la route. À force de voir passer tous les équipages de la mer des Caraïbes allant du Venezuela à la Floride et l'inverse, j'avais hâte que les autres nous voient passer. Demain, nous continuons.

15 avril 1992

Nous sommes à Puerto Patilla : 33 kilomètres en six heures et demie. La mer s'est calmée au cours de la journée. On a fait moitié voile, moitié voile et moteur, car le vent tombait par moments. On repart cette nuit pour Vieques. Ouf ! je suis fatiguée.

16 avril 1992

Lever quelque peu difficile à 3 h. On avait le bon vent, mais tellement faible que les voiles n'étaient pas gonflées. Nous avons utilisé le moteur jusqu'à 10 h, puis le vent s'est levé. On a tiré quelques bords pour enfin parvenir à destination vers 15 h. Quarante-huit kilomètres de plus ! Il y avait plusieurs bateaux à cause du congé de Pâques. Une longue plage longe la baie, mais les coraux sont morts : il y avait ici une zone d'essais d'explosifs. Une partie de l'île est toujours interdite au public et réservée à l'armée.

J'ai bien rigolé en voyant trois bateaux lever l'ancre et remouiller plus loin sans se détacher les uns des autres. J'avais déjà vu des voiliers embossés[46] et je ne comprends pas ce désir de promiscuité, mais cette démonstration était particulière... L'endroit n'est pas confortable, ça roule.

17 avril 1992

Vieques/Culebra : 43 kilomètres.

Une journée de rêve : belle brise dans la bonne direction ; un trajet en ligne droite. Les perturbations nous donnaient de la vitesse. On a pris un ris à la vue d'une masse grise inquiétante, mais c'était de la pluie. Après le nuage, on a largué le ris. On a terminé le dernier mille en longeant la côte à moteur. La baie est très inconfortable à cause de la houle. Le village est banal : une rue touristique au bord de la mer et le reste est tranquille. Les maisons sont parsemées ici et là sur les montagnes.

18 avril 1992

Nous sommes allés à moteur vers une autre baie. Elles est immense et en forme de fer à cheval. L'entrée est fermée par des brisants, ce qui forme une immense piscine artificielle très calme. À l'intérieur de cette baie, il y en a des dizaines d'autres plus petites et c'est dans l'une d'elles que nous avons mouillé. L'eau n'est pas très claire, mais il n'y a pas de houle. Le trafic aérien est énorme. À chaque minute, un petit avion décolle ; j'exagère : un aux dix minutes. Il y a aussi plusieurs bateaux qui arrivent ou partent.

19 avril 1992

Mes parents sont allés visiter un voilier échoué. Il y a trois ans, l'ouragan Hugo dévastait la Guadeloupe. L'œil est passé sur Vieques ; on peut imaginer l'état de Culebra. Sur 2 500 habitants, 1 500 se sont retrouvés sans abri. À cause de la réputation de cette baie comme « trou à ouragan », 400 bateaux y avaient trouvé refuge. Douze sont restés en place. L'un d'eux était mouillé sur six ancres ; cinq ont cédé, la dernière l'a sauvé. Pendant des semaines, des grues ont ramassé les épaves. Au fond de la baie, il y a un pont ; six voiliers y ont cassé leur mât en s'écrasant les uns sur les autres. C'est un capitaine dont le voilier a démâté qui nous a raconté le désastre ; il s'estimait chanceux d'avoir eu son mât arraché rapidement car il y avait moins de fardage[47] sur le pont. Il n'y a eu qu'un mort. Des masses de gréement étaient à l'abandon : manilles, poulies, taquets, cabestans. C'est triste à voir une grand-voile neuve qui pourrit au fond de l'eau. Je suis allée me balader sur de petites routes à travers la montagne. J'aime beaucoup marcher dans ces paysages déserts et sauvages. Il y a des champs desséchés, quelques vaches et des chèvres sur les montagnes. La végétation est pauvre. Quelques maisons sont en construction, abandonnées. De l'autre côté, il y a l'océan et Saint-Thomas.

Tous les membres de l'équipage doivent mettre la main à la pâte.

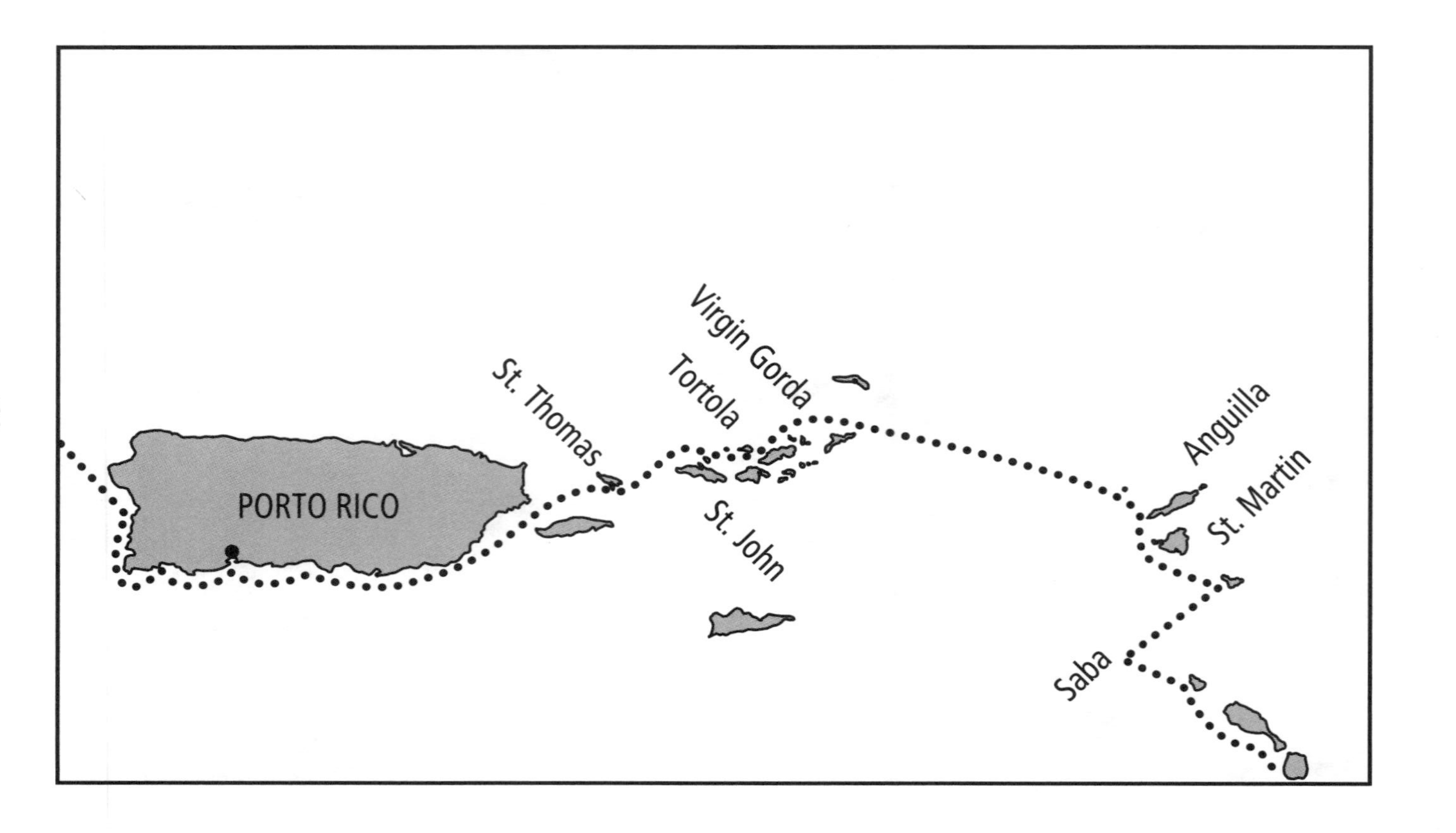
PORTO RICO
St. Thomas
Tortola
Virgin Gorda
St. John
Anguilla
St. Martin
Saba

Sixième chapitre

Les Îles Vierges

20 avril 1992

Nous sommes enfin à Saint-Thomas. Accompagnés de quatre dauphins, nous sommes entrés dans ce port bondé de voiliers. Vue de l'eau, la ville est toute rose. Nous avons visité un peu. Les rues sont étroites, en pierre, remplies de boutiques, d'impasses, de petits passages fleuris avec des balcons suspendus et des fontaines sculptées. C'est très mignon. Évidemment, les magasins de bijoux, d'alcool et de vêtements de luxe abondent. Quand on quitte le coin touristique, c'est une ville ordinaire avec des cages à poules toutes semblables, des maisons grillagées, des écoles... J'ai été impressionnée par les immenses voiliers de 20 mètres avec leur gréement gigantesque et des appareils électroniques dignes d'un jet. Il y a, au milieu de ces yachts luxueux, une belle goélette en bois de 40 mètres, à la fois voilier-école et charter. Elle retourne à Boston pour les fêtes commémorant la découverte de l'Amérique.

24 avril 1992

Je ne sais plus où j'en suis, ce que je voudrais. Ça fait huit mois que je n'ai pas parlé avec une personne de mon âge (à part la fille de Porto Rico). Mais si j'allais à l'école comme tout le monde, je ne vivrais pas ces aventures. Alors, je pense à celles qui viennent et je remets à plus tard les amitiés.

25 avril 1992

Aujourd'hui, nous avons parcouru 26 kilomètres, poussés par une bonne brise. Je commence à croire que les Îles Vierges sont le paradis de la voile. Nous sommes à Little Lameshire Bay, petite baie au sud de Saint-John. Nous l'avons choisie parce qu'elle est déserte. Elle n'offre pas beaucoup de protection et nous sommes mouillés dans 10 mètres d'eau, mais la mer est calme.

Baloo m'inquiète, sa patte est tout enflée et il boite.

26 avril 1992

Ouf ! Baloo est presque guéri. À la fin de la journée, l'abcès a crevé. Nous avions même commencé à le soigner avec l'un des traitements antibiotiques destinés à l'équipage en cas d'urgence. Il a léché sa blessure et s'est guéri lui-même. Ma journée a été bien remplie. Après le travail scolaire, j'ai nagé parmi les coraux. Jamais je n'avais vu une telle quantité de poissons. C'était fabuleux : des bancs d'immenses perroquets[48] et de plusieurs autres espèces de 30 ou 40 centimètres. Je me suis retrouvée au centre d'une centaine de poissons bleu azur de 15 centimètres. Éblouissant ! ! ! Je crois que cette abondance est due à la faible quantité de bateaux qui mouillent à cet endroit. Un garde-côte est venu nous dire de partir, car la houle peut nous jeter sur la plage. Il y avait aussi un banc de calmars sous le voilier. J'en aurais volontiers dégusté quelques-uns mais ils sont si jolis, et surtout, trop rapides. Nous sommes partis à Salt Pond Bay, quatre kilomètres plus loin. J'ai plongé là aussi. Les coraux sont plus variés, mais la quantité de poissons est loin d'égaler celle de ce matin. Deux variétés nouvelles ont attiré mon attention ; elles ne sont pas illustrées dans mon guide des poissons.

J'aimerais connaître leur nom. J'en ai nommé un « poisson éléphant », mais ma curiosité n'est pas satisfaite. Je n'ai pas eu le temps d'explorer la plage.

Deux personnes pêchent dans la nuit avec des lampes sous-marines. C'est interdit, car nous sommes dans un parc national. Je les trouve bien téméraires de s'aventurer à travers les coraux habités de toutes sortes de créatures inconnues. J'exagère, mais les requins ne pêchent-ils pas la nuit ?

28 avril 1992

Retour à Charlotte Amalie. Trajet merveilleux. Nous avons atteint sept nœuds et demi à certains moments avec un vent de travers constant. Nous devions revenir ici pour des questions d'argent. Il y a des transactions entre banques qui s'éternisent. C'est révoltant d'être esclaves d'employés stupides qui font tout de travers alors que l'opération à effectuer est tellement simple. À quoi sert toute cette technologie si on ne peut changer un chèque émis par une banque du Québec et retirer l'argent ici, dans une banque américaine. On attend depuis un mois alors que ça aurait pu prendre trois jours.

30 avril 1992

Le mouillage est très inconfortable. Je n'ai jamais vu *L'Échappée Belle* rouler autant. Au début nous tanguions, mais un vent brusque et violent a fait tourner tous les voiliers hier soir. Nuit chaude et humide (32 °C) au cours de laquelle nous avons joué le ballet des écoutilles : ouvre, ferme, ouvre, ferme. Les écoutilles fermées transformaient le voilier en sauna et, ouvertes, on aurait cru que l'orchestre était sur le roof.

Après trois heures d'attente à la banque, nous avons appris qu'il faudrait patienter encore quatre jours. C'est le carnaval et la banque ferme à midi pour une fin de semaine prolongée. On a décidé de partir à Saint-James. C'est à 12 kilomètres. Nous avons hissé les voiles, puis à l'apparition d'une masse noire inquiétante, on a pris un ris puis affalé le foc. Nos voiles trop vieilles ne supportent plus les coups de vent. Devant nous, le mât d'un voilier a touché l'eau. Pendant 15 minutes, il y a eu beaucoup de vent, de pluie et peu de visibilité. Il fallait naviguer avec prudence à cause de la présence d'un haut-fond et de la grande circulation maritime. Le mouillage est tranquille. Le silence est bienvenu après ces quelques jours à proximité de la ville.

1er mai 1992

Nettoyage printanier : les vêtements, le chien qui, malgré nos efforts, dégage autant qu'un égout à ciel ouvert de Calcutta, les écoutes de grand-voile sur lesquelles le toutou a dormi et la coque qui ressemblait à une forêt vierge. Les minuscules crevettes qui la recouvraient collent à la peau et s'infiltrent partout lorsqu'on les détache du voilier.

3 mai 1992

Encore Charlotte Amalie, pour la troisième fois. Le mouillage est plus confortable qu'au dernier séjour. On a assisté à un spectaculaire feu d'artifice hier soir ; il se mêlait aux éclairs pour donner un spectacle encore plus grandiose.

4 mai 1992

En arrivant à la banque, grande déception : l'argent

n'est pas arrivé. Il a fallu se fâcher pour finalement disposer de nos fonds. On s'est offert un petit festin de fromages, charcuteries, vin et pâtés. Le régal quoi ! Enfin libres...

6 mai 1992

Corvée d'eau et de diesel, épicerie et achats divers. Nous avons mouillé à proximité de la marina, car, les derniers jours, il fallait ramer une demi-heure à chaque voyage. Avec le vent et trois passagers, ce n'est pas le pied. Nous avons mouillé par la suite à Saint-James, une fois de plus. Nous y avions rendez-vous pour dîner avec un couple de Français sympathiques (c'est loin d'être toujours le cas) et leur joli bébé, qui vivent sur un voilier pour un an.

8 mai 1992

Départ pour Francis Bay au nord de Saint-John. Trois heures de navigation à voile extraordinaire, en tirant des bords. Cela me brise le cœur de voir tant d'équipages qui ne lèvent même pas leurs voiles avec ce vent constant de 15 à 20 nœuds, qui adonne par surcroît. Je suis surprise par la beauté des mouillages ; de plus, ils sont confortables et sécuritaires. Le paradis de la voile ? C'est exact.

9 mai 1992

Changement de mouillage pour Watermelon. Nous avons retrouvé *Cybèle*, le voilier de nos nouveaux amis français. Ils ont quitté Saint-James le même jour.

10 mai 1991

Nous nous sommes baladés dans les ruines d'anciennes plantations. La vue est éblouissante. Il fallait grimper une petite colline qui domine toutes les Îles Vierges, d'où l'on peut admirer l'eau turquoise, tellement claire. Il y a des mètres cubes de petits poissons. La densité des bancs est telle qu'on ne peut voir à travers. J'aime nager parmi eux, même si ma présence fout un peu la pagaille. Nous avons aperçu plusieurs grosses tortues venant respirer à la surface et un requin d'un mètre. Il m'a fortement impressionnée. Terminées les baignades au soleil couchant !

11 mai 1992

Repas d'adieu avec le *Cybèle*. Ce fut une merveilleuse rencontre que je garderai parmi les souvenirs agréables de cette époque. Puis, départ pour Norman Island à 16 kilomètres. Le vent d'environ 15 nœuds nous a permis une navigation fort agréable. Quelle différence avec les combats contre les éléments à une vitesse moyenne d'à peine un nœud. La quille s'est prise dans un cordage relié à une cage de pêche, mais nous n'avons rien brisé.

12 mai 1992

Nous avons plongé en apnée dans les cavernes. C'est dingue, il y a tellement de poissons qu'il faut les pousser pour y voir quelque chose. Je n'étais pas rassurée à l'idée de m'aventurer seule dans ces coins sombres, sous l'eau, mais cela valait le coup. Il y avait des coraux de couleur mauve et légèrement phosphorescents. Je n'en avais jamais vu avant. J'ai aussi été étonnée par la grande variété de poissons. J'ai pu voir pêcher un pélican, sous l'eau. C'est très amusant. De petits oiseaux se posent sur la tête des pélicans pour tenter de leur voler leur proie. Effrontés, non ? Nous avons fait une heure à moteur pour mouiller à Peter Island. Il n'y a qu'un autre voilier. Ça roule un peu, mais il faut s'y faire.

Cet après-midi, éternel petit sermon de mon père,

surenchéri par ma mère : « Moins tu en fais, moins tu veux en faire. » « À quinze ans, on ne devrait plus te dire ces choses-là », et bla, bla, bla... Ça m'énerve, car je n'ai pu retenir mes larmes ; larmes de rage, j'ai juste envie de me tirer. Je n'en peux plus de les voir du lever au coucher. Même le paradis est gâché, c'est cela le plus dramatique. Je n'ai pas le droit d'avoir mes coups de fatigue, mes moments de lassitude ? Je ne sais plus comment réagir. Je ne fais jamais ce qu'il faut.

13 mai 1992

Aujourd'hui, nous avons fait notre entrée officielle à Road Town sur l'île de Tortola, après plus de deux mois de « clandestinité » (nous n'avions pas signalé notre présence depuis l'arrivée à Porto Rico, car nous étions contre les frais imposés par les Américains pour naviguer dans leurs eaux). Les autorités n'ont demandé aucun papier ni numéro d'immatriculation. Nous avons obtenu l'entrée et la sortie du même coup.

J'ai eu une violente altercation avec mon père à cause d'une manœuvre sur le voilier. Il voulait que je laisse filer la chaîne, mais depuis le temps que je mouille, je sais quoi faire ; quand je ne sens pas de résistance, je n'en laisse pas filer car elle ne s'étalera pas. Bref, le ton est monté, il m'a engueulée :

« Quand je te dis quelque chose, fais-le. » J'ai dit un gros NON ! « Quoi ! C'est moi le capitaine, tu vas descendre de mon voilier. » Maman a dit : « Ça suffit ! », et pour une fois nous avons arrêté là. Nous n'en avons plus reparlé.

14 mai 1992

Quelle journée ! Nous étions inquiets de lever l'ancre : une houle de plus d'un mètre nous poussait vers la terre dont nous étions très proches. Avec un moteur en parfait état, je n'aurais eu aucune inquiétude, mais avec nos problèmes d'embrayage, c'était moins rassurant. Fonctionnera-t-il au premier ou au quinzième essai ? Finalement tout s'est bien passé. Nous avons pris deux ris, car les rafales étaient fortes : 25 à 35 nœuds. Peu de voiliers étaient sortis. Seuls ceux qui devaient trouver une planque plus sécuritaire se risquaient, car la mer était forte malgré les nombreuses îles servant de barrière. Avec les deux ris et le foc, nous avons atteint notre vitesse record : huit nœuds. C'est seulement à Virgin Gorda que nous avons trouvé une bonne protection.

Mais alors que j'avais déjà préparé la biture[49] et affalé les voiles, mes parents ont décidé de continuer plus au nord pour tenter de trouver un abri plus sécuritaire et confortable. J'ai remis toute la chaîne dans son puits et hissé les voiles à nouveau. Il y avait un pauvre équipage aux prises avec un enrouleur impossible à manœuvrer : ils n'avaient pas réduit assez rapidement. Nous avons failli coucher le bateau à plusieurs reprises. Aucun signe ne permettait de prévoir les coups de vent. Les nuages se ressemblaient tous et, dans un ciel bleu et pur, survenaient des bourrasques imprévisibles.

Plus je navigue, plus je réalise combien le vent et l'eau sont des éléments puissants dont il faut se méfier. Juste avant d'affaler, quand le point d'écoute se met à faseyer et qu'il faut le rattraper sans le recevoir au visage, la manœuvre est délicate. On prend de l'expérience et, de navigation en navigation, on se simplifie la vie. Mon inquiétude est grande au moment des virements de bord, quand il faut border du côté où le cabestan est défectueux. On dispose de quelques secondes seulement pour manœuvrer. Si on échoue, il faut revenir face au vent ; c'est impossible de retenir l'écoute avec la seule force humaine quand la voile est gonflée. Je me retrouve donc avec toute l'écoute en tas, et si je n'ai pas le temps de faire un tour sur le taquet avant que le foc ne soit gonflé de vent, il faut une force herculéenne pour le retenir. J'ai peur de me faire arracher la main.

Nous avons ancré au premier mouillage protégé : Little Dix Bay. Il n'est pas mentionné dans le guide. C'est très joli. Il y a une barrière de corail et une immense plage. Le vent a hurlé jusqu'au coucher du soleil. J'ai peine à évaluer sa force, la météo n'est pas fiable. Mon père parle de 40 nœuds. Mes parents ont réparé le foc à plusieurs endroits. La bordure est fragile, car les voiles sont âgées.

15 mai 1992

Nous avons marché jusqu'à la marina de Saint-Thomas Bay. Il faut traverser un complexe hôtelier, véritable jardin botanique avec ses fleurs immenses et étranges aux couleurs éclatantes, et ses arbres aux racines grimpant sur de gros blocs de granit poli. C'est magnifique. J'ai revu mon copain de République Dominicaine. Il rénovait le voilier avec son père. Au retour, j'ai nagé avec mon masque. Les coraux sont énormes : certains mesurent deux ou trois mètres cubes et sont peu abîmés puisque ce n'est pas fréquenté. Ailleurs malheureusement, les ancres ravagent terriblement les fonds.

Un mignon petit requin se reposait à cinq mètres en dessous de ma personne. Ouf !

16 mai 1992

Quelle journée ! Nous étions sortis pour une courte promenade aux Baths, trois kilomètres plus loin. C'est un endroit fabuleux ! De gigantesques blocs de granit poli, de toutes les formes, semblent avoir surgi de terre et s'entassent à cet endroit. Les uns forment des crevasses, des passages étroits ou des bains naturels abrités sous des toits étranges. On a l'impression d'être les minuscules habitants d'une autre planète. Époustouflant ! S'il n'y avait pas ces marchands de tee-shirts et des crétins qui sèment leurs canettes de bière partout, ce serait encore mieux.

Le ciel s'est assombri. Nous avons poursuivi cette extraordinaire promenade au lieu de rentrer. Nous avons eu beaucoup de difficulté à ramer jusqu'au voilier. Le vent hurlait et la mer s'était levée, car il n'y a aucune protection. Monter à bord relevait de l'exploit avec *L'Échappée Belle* qui menaçait de nous écraser. On a relevé l'ancre en vitesse avec le moteur à plein régime. C'est aussi ce que faisaient la plupart des bateaux présents au même moment. Les seuls qui ne partaient pas étaient prisonniers des touristes qu'ils avaient pris en charter. Nous avions deux ris et le tourmentin[50], et nous filions un bon cinq nœuds. Nous nous sommes abrités d'urgence derrière Colison Point, dans la baie de Saint-Thomas. Le mouillage de Colison était horrible. Le voilier tanguait fortement. La proue touchait l'eau.

Une heure et demie plus tard, alors que je m'étais assoupie, on est repartis. J'ai utilisé mes dernières réserves d'énergie pour lever l'ancre et hisser les voiles avec ma mère. J'étais un peu engourdie. Le vent et les manœuvres sous la pluie, ça gruge les forces. Nous avons hissé le foc car le vent s'est calmé, puis il est tombé complètement. Après avoir largué un ris, nous avons poursuivi avec grand-voile et moteur jusqu'à Gorda Sound. C'est parfaitement protégé. Quel silence s'installe quand le vent tombe ! Dodo.

17 mai 1992

Plein de diesel. Opération séchage de matelas, coussins, etc., qui se gorgent d'humidité. Si on ne veut pas finir avec des odeurs de moisi dans le voilier et des matelas poisseux, il faut agir. Demain : Anguilla.

18 mai 1992

Nous avons quitté Gorda Sound à 10 h pour faire un trajet de 130 kilomètres. Première heure à moteur pour franchir une zone de récifs, puis à voiles jusqu'à ce que le vent nous abandonne totalement à 14 h 30. Hélas, jusqu'à 22 h, nous avons utilisé le moteur. Heureusement, le reste de la nuit s'est fait à voile. Il aurait été dommage de gâcher une belle nuit de pleine lune avec l'exécrable grondement du Perkins. Le lever de lune derrière les nuages a été remarquable.

19 mai 1992

Malheureusement, à 7 h 30, plus de vent. L'éternelle discussion voiles ou moteur a éclaté. Mon père qui veut rentrer et trouve ridicule de se laisser dériver et ma mère qui attendrait le vent toute sa vie. Je ne me prononce plus et je laisse passer le grain. Je n'aurais rien contre l'attente à condition qu'on mette à cap pour se baigner et dormir.

Mon père utilise toujours l'argument d'un changement de météo, mais un jour ou l'autre, nous devrons affronter une tempête. La mer était comme un miroir avec une houle presque inexistante et lisse. On aurait pu dormir avec les écoutilles ouvertes, dans le confort d'une couchette. Nous nous sommes arrêtés à Prickley Pear Cays à 15 h 30, en pensant que nous manquerions de temps pour atteindre Anguilla. La baignade était bonne après la chaleur brûlante. Un autre pas vers le Venezuela...

20 mai 1992

Nous avons revu l'équipage du Cybèle, arrivé ce matin après dix heures de moteur au lieu de nos trente heures. Hum ! Mon père nous a jeté un de ces regards... Puis, trajet de trois heures pour Anguilla. Quelle jolie île avec de nombreuses plages. Le petit village de Sandy Ground est mignon et accueillant avec ses petites maisons créoles colorées aux volets multicolores. Les gens avec qui nous avons discuté étaient sympathiques. Nous avons eu droit à un concert de *steel band*[51], guitare et basse dans la soirée et j'ai même dansé. Je préfère pourtant regarder les gens d'ici qui ont un si beau déhanchement. C'est toujours bon de retrouver le calme du voilier, même si cette île est loin d'être étourdissante.

Au large de la Colombie, un navire de la marine américaine arraisonne tous les bateaux afin de dépister les trafiquants de drogue.

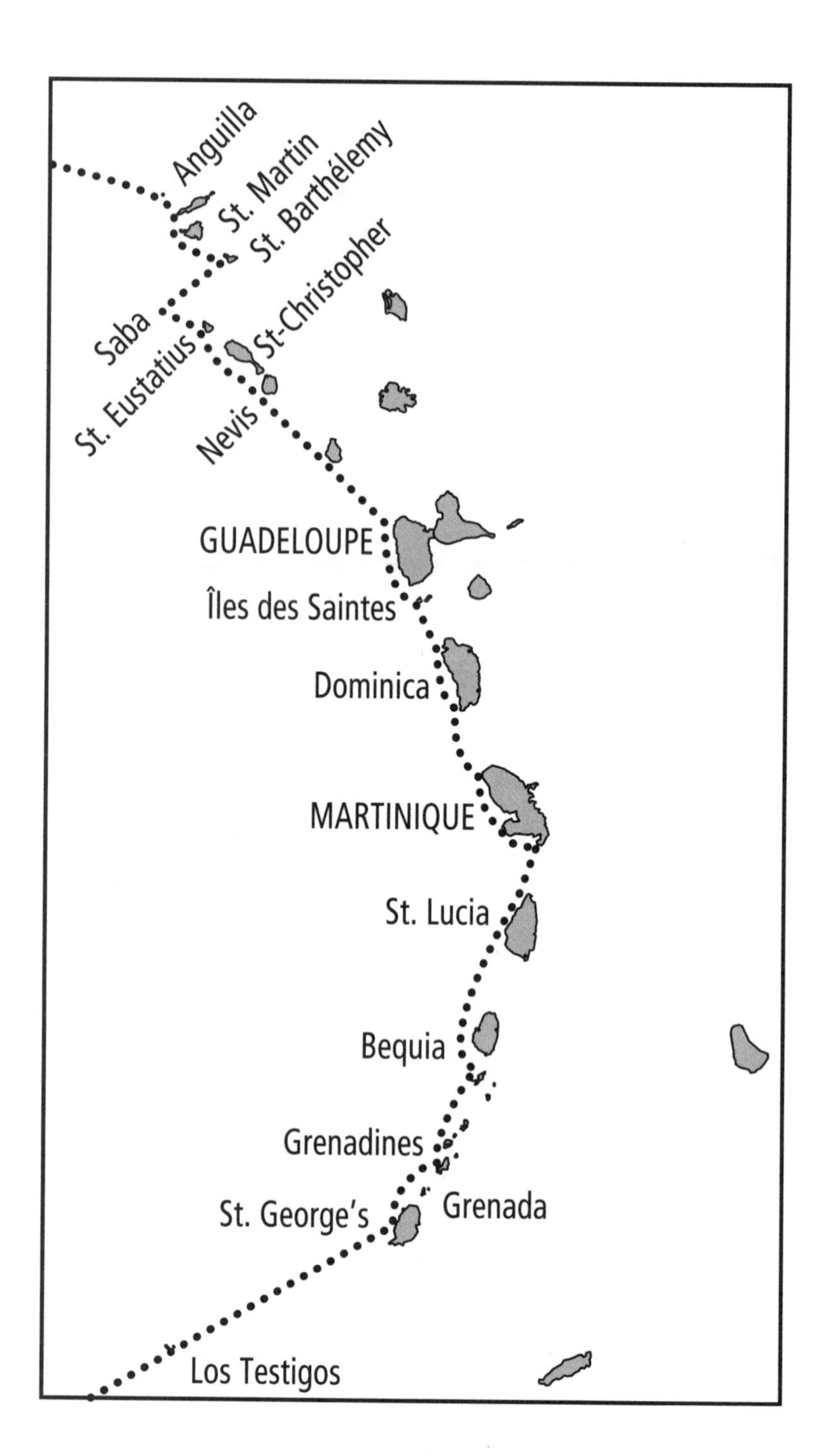
Anguilla
St. Martin
St. Barthélemy
St. Christopher
Saba
St. Eustatius
St-Christopher
Nevis
GUADELOUPE
Îles des Saintes
Dominica
MARTINIQUE
St. Lucia
Bequia
Grenadines
St. George's
Grenada
Los Testigos

Septième chapitre

Les Caraïbes

21 mai 1992

Nous sommes maintenant à Saint-Martin. J'étais émerveillée d'entendre parler français après avoir utilisé pendant huit mois l'anglais ou l'espagnol. Le jambon beurre et le diabolo menthe étaient délicieux dans ce petit café parisien. Ça avait l'air d'un piège à touristes, mais exceptionnellement... Bien sûr, à Paris, les garçons ne vous reçoivent pas en anglais. Les petites maisons créoles me séduisent toujours : elles ressemblent à des bonbons. Les vieilles demeures coloniales s'écroulent lentement. C'est malheureux. Je m'installerais bien ici quelques mois pour m'inscrire au lycée, avoir des copains, mais il vaut mieux ne pas trop y penser. Ce serait triste d'avoir des regrets. Je dois profiter de la mer.

22 mai 1992

Visite à Sint Marteen (partie hollandaise de l'île). C'est plutôt touristique, alors je n'ai pas de commentaires. Les montagnes sont beaucoup plus verdoyantes que dans les îles précédentes. Mes parents m'ont acheté un saxophone électronique en attendant le vrai s'il est possible de trouver un instrument à prix raisonnable. Avec celui-ci, je peux utiliser des écouteurs. C'est plus pratique... pour le reste de l'équipage.

26 mai 1992

Nous avons vécu une expérience abominable. Le représentant d'un complexe immobilier nous avait remis, dans la rue, un coupon permettant d'avoir trois jours de location d'auto gratuitement, si l'on acceptait de visiter les résidences. Pourquoi pas ? Nous voilà partis en taxi pour le cauchemar : *Pelican resort.*

Un homme nous accueille alors que d'autres s'entretiennent déjà avec des couples. Deux heures de baratin sur les avantages de s'installer à Saint-Martin dans le cadre d'une formule d'achat d'une semaine de vacances par année à cet endroit pendant... 89 ans ! ! ! On peut aussi échanger cette semaine de vacances contre une autre dans une résidence identique, n'importe où à travers le monde. Toutes ces paroles accompagnées de chiffres, dessins, croquis et écriture des mots-clés pour bien imprégner notre subconscient. Ça sentait l'école de marketing à 100 kilomètres. Ensuite, visite des complexes résidentiels en limousine bidon qui tombe en ruines : trois types d'appartements tout en miroir pour tromper l'œil, de part et d'autre de couloirs dignes d'un HLM de la zone, des terrasses avec vue sur les piscines qui se fissurent et les plages artificielles où se dorent quelques baleines qui deviendront bientôt cramoisies comme des homards. Ensuite, retour au bureau principal où il est temps pour nous de dire : non, merci, ce n'est pas vraiment ce que nous recherchons. Malheur à nous, le vendeur ne lâche pas ses proies. Il a ce qu'il nous faut. Cap sur des chalets de style semblable, mais en plus « taudis ». Au second refus, c'est la panique. Le vendeur sue à grosses gouttes, il frissonne, il a perdu tous ses trucs « gérez votre stress ». On dirait qu'il n'a jamais essuyé de refus.

Enfin, nous voilà donc avec une bagnole pour trois jours. Un dernier mot sur cet endroit où je refuserais d'aller, même gratuitement. C'est si faux et minable, comme les photos de vedettes ayant succombé aux charmes des lieux : vieilles stars hollywoodiennes du temps du cinéma muet (ou presque), à peine connues. Tout ce cirque mal construit s'écroulera bien avant la fin des 89 ans ! Mais ce qui me dégoûte le plus, c'est de savoir que des gens parlent de voyager quand, d'un pays à l'autre, la couleur des draps ne change pas. Même appartement, même piscine, même décor de Saint-Martin à Shanghai en passant par Tahiti. Un monde hermétique, aseptisé, clos. Prendre l'avion pour se retrouver dans un décor qui pourrait être le même dans sa propre ville... Pourquoi ? Le plus affolant est d'envisager de passer la semaine 38 à tel endroit pendant 89 ans. Avoir un avenir aussi certain et sans surprise, c'est l'asphyxie. Je ne pourrais pas, mais alors pas du tout. Je préférerais vivre sous un pont ou dans une case en bambou pleine de vermine plutôt que d'entrevoir ma vie organisée pour un siècle. Bon ! on a tout de même la bagnole pour les corvées d'eau et d'essence, la lessive et une visite de l'île.

27 mai 1992

La visite était décevante : les bords de mer sont bouffés par les hôtels et les condos déjà construits ou en chantier, mais vides. La construction d'un quai pour les transatlantiques du type « La croisière s'amuse » a commencé. Les autochtones sont refoulés dans les hauteurs. Encore un autre paradis assassiné par le développement touristique.

4 juin 1992

Nous partons demain. Le voilier est rempli ; nous

avons acheté des provisions aujourd'hui. L'équipage du *Cybèle* est reparti pour la France. Le voilier sera convoyé et nos amis se prélassent déjà dans un lit qui ne roule pas. Je ne les envie pas. Je préfère que le rêve continue. J'ai rencontré une fille qui revient d'un tour du monde qui devait durer deux ans, mais qui en a pris six autres. C'est une famille de Québécois avec quatre enfants, de 10, 13 et 16 ans. Leurs récits fabuleux, sur les lointains pays qui m'attendent, m'ont redonné le courage de continuer.

5 juin 1992

Départ : 7 h 30. Nous avions trois caps différents pour contourner Pointe Basse Terre. Nous avons tiré des bords. De 12 h à 14 h : moteur, car nous étions incapables d'avancer vers Saint-Barthelemy. Finalement, au lieu de lutter contre le vent, nous avons mis le cap sur Philisburg (Sint Marteen). Le mouillage roule horriblement.

6 juin 1992

Nous sommes partis à 8 h 15 et arrivés à 13 h à Saint-Barthelemy. Distance de 26 kilomètres à voiles. Quelle belle baie que l'Anse du Colombier et, en plus, le mouillage ne roule presque pas. Il y a sept autres voiliers à l'ancre et plusieurs autochtones habitent sur la plage qui est magnifique. Un sentier longe la falaise jusqu'à la baie des Flamands où l'on trouve un petit village charmant avec de coquettes maisons aux volets de bois et toits de tuiles. L'abondance de fleurs aux couleurs éclatantes et la densité de la végétation sont impressionnantes. C'est magnifique ! La plage est profonde. Même les quelques constructions pour touristes respectent l'authenticité du décor.

7 juin 1992

Balade à Gustavia, la ville principale. Heureusement, nous avons été pris en stop car les routes montent et descendent sans cesse, et les pentes sont abruptes. Gustavia est d'un calme mortuaire. C'est dimanche et les commerces sont fermés, les rues désertes et les promeneurs absents. J'ai rarement vu une ville aussi silencieuse. Quelques constructions d'époque coloniale enjolivent les rues et l'ensemble de l'architecture est esthétique. Plusieurs résidences sont juchées sur les hauts sommets, ou seules au milieu de nulle part. Il y avait deux immenses voiliers-écoles suédois dont les équipages se préparaient à larguer les amarres avec une lenteur et une nonchalance remarquables ! Comme cela semblait compliqué de rouler un taud ou de détacher les cache-curieux[52]. La piste d'atterrissage est spectaculaire. Les petits avions doivent frôler la rue et se jeter dans le vide, puis freiner pour ne pas s'écraser contre le sol. J'ai été surprise de voir passer un avion derrière moi, à la hauteur de ma tête.

8 juin 1992

Nous sommes à Saba avec ses flancs arides et tellement abrupts. C'est une île minuscule et tout en hauteur. Nous sommes attachés à un des corps-morts mis à la disposition des plaisanciers. C'est reposant pour nous, car les rafales sont de 30 nœuds au moins. Demain, nous grimperons au village. Pendant le trajet, j'ai dû me résoudre à avaler un cachet contre le mal de mer. Sans cela, je suis trop dans le coton. Je refusais, mais après les deux derniers trajets difficiles, j'ai craqué. Je garde espoir que je pourrai un jour m'en passer. Sinon, tant pis ; je vivrai avec et cela ne m'empêchera pas de naviguer.

9 juin 1992

Le mouillage roule et, en plus, cette stupide annexe a tapé toute la nuit sur la coque. Qu'on l'attache n'importe où, avec n'importe quelle longueur de corde, elle vient se coller à *L'Échappée Belle*. On a failli la larguer. L'excursion à Saba fut fantastique. L'escalier de plus de 500 marches est épuisant, mais ça vaut le coup. Le village est mignon et, de plus, les gens sont très ouverts, car les touristes sont rares. Une jeune femme, surveillante du parc national qu'est Saba, nous a amenés jusqu'aux plus hauts villages dans sa camionnette. C'est étrange de vivre à une telle altitude. Nous ne sommes pas allés au sommet par l'escalier de 1600 marches, car il y avait de la brume et 1600 marches pour voir l'eau d'en haut... Hi ! Hi ! Hi ! Il y a beaucoup de chèvres d'une agilité toujours étonnante. Mon pauvre Baloo avait l'air lourdaud en essayant de les suivre. Au retour, nous avons rencontré deux chasseuses de lézards : c'était deux étudiantes de niveau maîtrise qui capturaient ces bestioles avec une canne à pêche munie d'un lasso. Elles doivent prélever quelques gouttes de sang et les remettre à l'endroit exact de la capture. Leur professeur fait une étude sur la malaria. Ce n'est pas trop pénible comme sujet de thèse : passer quatre mois à Saba à capturer des lézards. La descente vers la mer était plutôt facile.

L'arrivée à terre et le départ vers le voilier en annexe sont casse-cou. De grosses pierres roulent sous les pieds et la houle se brise en énorme rouleau. Un panneau racontait l'arrivée des premiers explorateurs et celle, plus tardive, des premiers habitants : ils attendaient qu'une grosse vague les jette sur le rivage.(Ils avaient intérêt à s'être tirés de là pour la suivante.) Puis, ils grimpaient les marchandises, que ce soient des sacs de grain ou un piano, par le sentier abrupt et à travers une végétation très dense. Pas évident. La route asphaltée n'existe que depuis une quinzaine d'années. C'est un habitant de l'île qui en a fait le tracé après avoir suivi un cours en génie urbain par correspondance. Aucun ingénieur ne voulait s'y risquer. Il a fallu 25 ans pour mener la construction à terme.

11 juin 1992

Nous sommes maintenant à Basse Terre, Saint-Christophe. Le mouillage roule d'une manière indescriptible. Nous commençons à être agressifs à force de toujours avoir à conserver notre équilibre. La nuit surtout, c'est dur pour les nerfs. Depuis Saint-Eustatius, un petit requin de presque un mètre se tient sous le voilier. Il suit notre itinéraire et tourne autour de nous. Je n'aime pas beaucoup ça.

12 juin 1992

Nous sommes allés à terre. En arrivant sur le quai, le douanier a dit : « No dogs. » Le pauvre Baloo n'a pas eu le temps de mettre une patte au sol qu'il devait retourner se faire étourdir par la houle. C'en était trop pour lui. Il a décidé de nous désobéir en allant se coucher sur les coussins intérieurs. Un vieil homme nous a conduits en ville. Elle n'est pas bien jolie : maisons de pierre ou de bois aux couleurs délavées et sans personnalité. Je crois que les habitants de l'île n'aiment pas beaucoup les Blancs. Ils sont froids. Nous n'aurions pas dû payer les droits d'entrée. À 12 h 30, nous partions pour Nieves.

Enfin, nous sommes à Charleston (Nieves) et le mouillage roule à peine, ça fait du bien. Les funérailles du gouverneur avaient lieu ; le cercueil est arrivé par bateau avec les militaires en uniforme et la fanfare. Toutes les radios diffusaient la messe en direct ; donc, pas de météo.

13 juin 1992

Corvée d'eau. Elle est facile d'accès et gratuite. Lessive. C'est terminé pour les belles machines à laver. Préparation de bouffe, car demain, c'est le départ pour la Guadeloupe. La ville ne mérite pas de commentaires particuliers. Le plus beau cadeau : une douche à l'eau douce sur le pont. C'est la première depuis Ponce. Bien sûr, nous nous lavons tous les jours, mais... à l'eau salée.

14 juin 1992

Nous avons quitté Charleston à 9 h 15. Une heure plus tard, mon père a décidé d'essayer le pilote à vent. C'est la première fois. Coup de chance, il a réussi l'ajustement du premier coup. Pendant deux heures, nous avons été émerveillés par sa précision fabuleuse, son habileté à aller au près sans jamais se retrouver vent debout, à revenir de quelques degrés quand une perturbation change le vent. Puis, un câble a cédé et nous avons barré le reste du trajet.

La hauteur des vagues était d'environ deux mètres. Vers 2 h, nous avons commencé à longer Montserrat. Ce furent quelques heures fantastiques sous le vent de l'île, à une vitesse de six nœuds. Le reste de la nuit a été plus éprouvant : nous gîtions beaucoup et les embruns inondaient sans cesse le cockpit, au grand désespoir de Baloo. J'ai eu de grosses émotions à la barre ; les vagues éclataient en écume sous l'étrave. Je suis de plus en plus sensible aux mouvements du voilier. On peut facilement comparer ces sensations à celles du chevauchement d'un pur-sang qui s'emballe. *L'Échappée Belle* vibre, se cabre, peine, puis repart soudain de plus belle dans une rafale. Quand il faut lui faire prendre une vague de face ou la remettre au vent pour ne pas qu'elle se couche, puis la redresser pour ne pas perdre le vent dans les voiles, il faut être concentré, précis, mais je suis captivée par sa course folle. J'ai l'impression qu'elle vit, qu'elle respire, c'est fou... Les gens qui n'ont jamais navigué ne peuvent pas comprendre. Pour eux, un voilier c'est un bateau avec des voiles, comme une maison ou un chalet. Peut-être les mordus de la moto ou de la vitesse peuvent-ils atteindre une telle euphorie, une envolée aussi totale. Peut-être est-ce simplement de la passion et que chacun peut ressentir cette exaltation soudaine quand il atteint un sommet dans ce qu'il aime faire. Bon, bon, assez de délires. Hi ! Hi !

À l'aube, nous avons aperçu la petite baie de Deshaies. Au même moment, la pleine lune se couchait. Cette nuit, il y a eu une éclipse. C'est impressionnant quand il ne reste qu'un mince croissant et que l'autre côté commence à réapparaître. Après avoir ramassé les voiles, les cordages, et séché les vêtements de navigation, je n'ai pu résister au sommeil. Du voilier, le village semble n'avoir qu'une rue avec quelques petits commerces. Une plage remplie de barques de pêcheurs borde la mer. Nous avons parcouru 140 kilomètres.

16 juin 1992

Nous sommes allés à Pointe à Pitre en transport public. Les routes sont magnifiques, car elles sont recouvertes d'un dôme de plantes tropicales. Les flamboyants contribuent à embellir ce paysage merveilleux. La végétation est luxuriante et les plages que j'ai pu apercevoir sont immenses. Pointe à Pitre est une ville bruyante et mouvementée. Les Blancs sont rares et c'est tant mieux, car ceux que j'ai vus étaient désagréables, stressés et de mauvais poil. La population en revanche semble cordiale, relax, amusante, rieuse, de bonne humeur. Les sourires fusent et nos salutations reçoivent toujours une réponse. Les différents marchés sont colorés et les fruits exotiques, disposés pour régaler la vue. Les épices séduisent immédiatement l'odorat et les marchandes sont superbes avec leurs foulards noués sur la tête et leurs grandes jupes fleuries. Quand elles décident de vendre quelque chose, il faut être vigilant pour ne pas se laisser entourlouper par leurs bavardages.

Dans l'autobus, une dispute monstre a éclaté entre trois femmes. Tous les passagers étaient morts de rire. Certains s'en mêlaient, hurlaient, et des insultes de toutes sortes se faisaient entendre. J'aurais voulu comprendre le créole, car certaines tirades provoquaient d'immenses fous rires. Je crois qu'elles se disputaient à propos de leur teint qu'elles avaient plus ou moins foncé. En revenant au voilier, Baloo avait disparu. Je l'ai cherché à terre en demandant à tous les gens s'ils l'avaient vu. Tous disaient oui, car le nouveau chien noir s'était fait remarquer. J'ai appris qu'il s'était laissé gaver par les dîneurs d'un restaurant du bord de mer. Rien de trop beau. Il devient voyou.

17 juin 1992

Aujourd'hui, location d'une bagnole. Il y a plusieurs petits villages jolis et sympathiques. L'événement de la journée a été l'ascension de la Soufrière. Quelle expérience ! Au départ, la verdure des immenses vallées et la mousse jaune qui recouvre de grandes superficies vers le sommet sont impressionnantes. Puis, les crevasses étourdissantes et les passages dans la brume, le vent qui hurle et glace le corps. Soudain, une éclaircie. Des pics aux allures lunaires apparaissent, et puis un lac. C'est.. les mots manquent... une autre dimension comme dans un rêve angoissant. Les lambeaux de brume recouvrent tout, le paysage se dévoile par bribes, ce qui accentue l'isolement. C'est plus qu'extraordinaire. Petite anecdote désolante : j'avais apporté l'appareil photo avec tous les objectifs et voilà que les nuages se dissipent pour la première fois depuis plusieurs jours. J'appuie sur le déclencheur. Surprise ! mon film était terminé. Plus le moindre centimètre de pellicule pour fixer ce moment unique. Bon, vaut mieux en rire... jaune. Je venais tout juste de découvrir que, depuis un mois, je prenais des photos avec un film qui ne se déroulait pas. Quel talent !

18 juin 1992

Deuxième jour de bagnole. Nous avons visité une fabrique de sucre. Depuis l'arrivée des cannes à sucre par chariots tirés tantôt par des zébus, tantôt par les tracteurs, jusqu'à la mise en sac du sucre granulé, nous avons tout vu. On a eu la chance d'avoir le contremaître pour guide. Il semblait adorer son travail. Nous avons goûté le sucre aux différentes étapes de sa fabrication. À l'entrée, on nous a dit d'aller où nous voulions, car il n'y avait pas de visite organisée. C'est un employé qui nous a conduits au contremaître. Toutes ces étapes sont compliquées et la chaleur et l'odeur doivent être difficiles à supporter. Le bruit est encore plus terrifiant.

Ensuite, nous avons eu droit à une petite dégustation de rhum, de l'autre côté de la rue. Vieux rhum, (comme un vieux cognac, semble-t-il ; moi je ne m'y connais pas beaucoup), rhum au coco, rhum aux fruits de la passion (délicieux). Puis, nous voulions nous rendre aux sources sulfureuses, mais c'était seulement des piscines pas très exotiques, car elles étaient trop aménagées ; alors on a filé à la cascade aux Écrevisses où l'on a déjeuné les fesses dans l'eau glacée. Il n'y avait aucun touriste car ils sont aux tables à pique-nique, un peu plus bas, de l'autre côté de la route. Un lavage de corps et de cheveux avec de l'eau douce à profusion : quel pied ! C'était l'extase !

À la fin de l'après-midi, on est allés échanger nos livres à la librairie de la marina : un bric-à-brac, magasin d'accastillage tenu par une Allemande sympathique. Ensuite, les chutes du Carbet. Quelle vision ! Et la balade dans la forêt tropicale... ça sent si bon. Le silence des grands espaces est enivrant. On a emprunté le trajet le plus court, car il était tard, mais j'aurais bien aimé utiliser le grand sentier qui mène à la Soufrière. Cette marche au sommet du volcan restera inoubliable. On s'est baignés de nouveau dans une petite cascade. Il n'y avait pas âme qui vive. Nous étions les derniers visiteurs. L'eau est si bonne au goût et pour le corps.

19 juin 1992

Aujourd'hui, ma mère et moi avons joué les lavandières dans une petite rivière derrière le village, au bas d'une montagne. J'y serais restée des heures. Assises dans le courant, ce n'était pas trop difficile de rincer les vêtements. Au retour, on s'est régalés de mangues sauvages tombées de l'arbre. Assez fraîches, n'est-ce pas ?

J'ai fait mon ménage annuel qui consiste à dépoussiérer trois livres et à passer un aspirateur miniature 12 volts. Dur dur...

20 juin 1992

Balade à la rivière pour déjeuner et laver les tapis. On a cueilli des bananes, un fruit de l'arbre à pain et des mangues. Les gens les laissent pourrir tant elles sont abondantes. Nous avons été sidérés par la grandeur des bananeraies. Il y en a à perte de vue ; incroyable ! On a cherché à savoir pourquoi les régimes sont recouverts de sacs de plastique. Nous avons eu trois versions différentes : protection contre certains insectes, humidité conservée ainsi et, plus farfelu... quand vient le moment de les cueillir, les bananes sont déjà dans des sacs. Demain, Les Saintes.

21 juin 1992

Nous avons quitté Deshaies à 7 h et sommes arrivés aux Saintes à 16 h après avoir parcouru 69 kilomètres. Nous avons installé le pilote à vent pour à peu près une heure, mais comme il y avait des rafales de 35 nœuds, nous avons préféré barrer pour intervenir plus rapidement, si le vent augmentait. Les grains se sont succédé. Heureusement que l'île nous protégeait des vagues, car avec un vent pareil, les manœuvres sont encore plus difficiles dans une mauvaise mer. Je n'aime pas quand tout devient gris et que l'on ignore ce que le temps nous réserve comme mauvaise surprise. Heureusement, la pluie tue souvent le vent. Le voilier roule terriblement au mouillage et le vent hurle.

24 juin 1992

On a changé de mouillage hier pour un autre mieux protégé. Même le vent est moins fort à cette extrémité du village. Sur notre gauche, il y a une maison en forme de proue de transatlantique. C'est amusant ; la chaîne de l'ancre amarre le balcon au trottoir. Je ne sais pas quoi raconter sur cet endroit. Les villages finissent par tous se ressembler. Les rues sont calmes et coquettes vues de l'ancienne tour au sommet de la montagne dans laquelle j'ai grimpé avec Baloo.

25 juin 1992

Départ à 8 h 30 et arrivée à la Dominique, baie du Prince Rupert, à 14 h 45. La mer était assez forte. La proue plongeait tellement dans les vagues que l'intérieur du voilier était complètement inondé. Dans la toilette, on voyait gicler l'eau comme sous la douche.

Nous avions lu dans un guide que la Dominique avait son comité d'accueil et c'était vrai : avant même que nous ayons décidé où jeter l'ancre, deux chaloupes se disputaient pour nous offrir des « tou à la wivière ». Vingt dollars américains par personne pour une petite balade sur une rivière d'à peine un kilomètre que nous pouvions explorer en annexe ! Mes parents sont allés à rames le lendemain. C'était joli.

Nous avons pris un autobus jusqu'à Roseau et, de là, un autre pour visiter la réserve indienne. Les Indiens vivent dans un village identique à ceux de toutes les îles britanniques : cabanes de tôle ondulée ou de bois, à l'abandon. Ils ont pour la plupart des ancêtres de race noire et n'ont donc pas des traits typiquement indiens. Il y a une seule hutte traditionnelle. Elle abrite une boutique d'artisanat. L'église est peinte d'une fresque indienne. L'autel est un canot. Deux Indiens somnolaient dans un canot en construction que nous avons examiné. Il était fait d'un tronc creusé avec des bordées en planches. Les pêcheurs martiniquais utilisent ce genre de canot. Nous avons vu de nombreux objets faits de fibres tressées. Cet artisanat est raffiné et très beau. Je trouve triste qu'il ne reste que 2 800 Arawaks alors qu'ils étaient des milliers avant l'arrivée des colonisateurs. Les souvenirs et les traditions se sont perdus et la langue n'est connue que de quelques vieillards qui vont l'emporter avec eux, car elle n'est pas écrite. Nous sommes revenus avec le conducteur qui nous avait amenés à la réserve. J'ai failli devenir dingue à force de rouler sur ces routes sinueuses avec de la musique « Jesus Power » à tue-tête. Ouf ! Vive le calme de *L'Échappée Belle*.

28 juin 1992

Bon anniversaire (ironie) ! Nous sommes partis depuis un an exactement.

Je voudrais rester immobile à observer le temps qui m'échappe.

La crise a éclaté, plus injurieuse que jamais. J'ai pensé un moment que tout était terminé pour nous trois. Je suis insensible à leurs propos, même s'ils me jugent hypersensible. C'est triste de voir les gens se faire du mal et presque arriver à une séparation après tant d'années, se demander s'ils ont intérêt à rester ensemble. Puis, j'oublie et je vois cela comme des mots. Après tout, c'est eux que ça touche. Même les injures de mon père me laissent indifférente. L'indifférence est mon alliée. Je ne veux plus d'émotions. Je suis de glace. Cet état est grisant ; plus rien ne m'atteint. Je fais tout machinalement. Mon cœur et ma tête appartiennent à un autre être indépendant de moi. Je suis une automate.

1er juillet 1992

Nous sommes à Roseau, capitale de la Dominique. En arrivant, nous sommes allés prendre le thé sur un catamaran britannique de 15 mètres. Il y a quatre enfants de quatre à treize ans à bord. L'aménagement intérieur m'a étonnée, et aussi l'espace disponible sur le pont : c'est large comme un trottoir. Nous les reverrons souvent, ils vont vers le Pacifique.

2 juillet 1992

Nous avons visité un jardin botanique qui était soi-disant le plus beau des Caraïbes. Quelle farce ! Nous nous sommes battus une heure pour obtenir un dépliant explicatif défraîchi. Il restait quatre panneaux fixés sur la centaine d'espèces qui auraient dû être identifiées. Le « bel escalier menant à une luxuriante forêt tropicale » était en fait un tas de roches informe, les « magnifiques bassins à poissons » ne devaient jamais avoir vu l'ombre d'une nageoire et abritaient des arbustes d'un mètre. Les « superbes jardins » ressemblaient plutôt à des terrains vagues. Nous sommes donc restés ignorants en matière de botanique. Roseau est une ville laide et sale. Tout tombe en ruines et les gens semblent peu sympathiques.

3 juillet 1992

Nous avons décidé de faire le trajet jusqu'à la Martinique de nuit. C'était merveilleux avec ce bon vent qui nous poussait à presque cinq nœuds. La mer n'était pas trop forte et les embruns ne nous éclaboussaient pas. Nous sommes partis de Roseau à 19 h 30 (hier) pour arriver à Saint-Pierre à 6 h. Le vent est tombé près des côtes, ce qui a ralenti notre allure et nous a permis d'arriver au lever du soleil. Après avoir jeté l'ancre, nous trouvions que le voilier continuait à avancer un peu trop vite, alors que le moteur était au neutre. Nous avons vérifié à nouveau la position de la manette et nous nous sommes assis dans le cockpit pour bavarder. Soudain... Oups ! nous avions oublié d'affaler la grand-voile. Un si petit oubli ! Heureusement que tout le monde dormait.

La journée est pluvieuse. Après une sieste de quelques heures, nous avons marché dans la ville qui est bien plus jolie que Roseau. Les douaniers sont rares, alors nous avons laissé tomber les procédures d'entrée. Les deux expositions sur le thème de l'éruption volcanique de 1902 m'ont beaucoup impressionnée. L'un des musées expose plusieurs objets retrouvés sous les ruines. Ils donnent une idée de la chaleur de l'explosion : verre tordu, porcelaine fondue, trombone à coulisse déformé... C'est bouleversant de penser à ces 30 000 vies soufflées d'un coup. Ceux qui étaient à Fort-de-France, ce jour-là, n'auraient jamais pu imaginer l'horreur qui surviendrait pendant leur absence. Je ne sais pas si on peut appeler cela de la chance quand on perd soudainement famille et maison, même si on reste en vie. Ce devait être affreux de découvrir les corps calcinés sous les ruines fumantes. Quand on voit ce qui reste du théâtre et de l'église, qui étaient tous deux gigantesques, on peut imaginer la force du souffle volcanique. Vingt fois Hiroshima, paraît-il ! Sur cette petite île minuscule perdue au milieu d'un océan, toute la puissance de la terre s'est réveillée et pouf ! trente mille vies se sont arrêtées. Pourtant, ce phénomène est à peine plus important qu'un éternuement quand on le situe à l'échelle géologique. Quelle vision apocalyptique cela a dû être !

5 juillet 1992

Départ à 12 h, arrivée à 16 h. Nous avons facilement trouvé une place pour mouiller à Fort-de-France, mais une quinzaine de voiliers ont suivi peu après.

10 juillet 1992

Notre séjour à Fort-de-France a été banal ; quelques achats pour le voilier, aux puces nautiques entre autres.

Décevant. J'ai passé la majeure partie de mes après-midi à la bibliothèque, profitant de cet accès facile à la littérature française. Cette occasion ne se présentera plus avant un moment. En matinée, j'allais au parc public avec Baloo. Je n'ai jamais pu faire mes devoirs sans être dérangée par une âme solitaire qui me faisait des propositions sans équivoque.

Nous avons effectué plusieurs visites à la poste, mais en vain ; notre courrier ne nous est jamais parvenu. On ne pouvait plus attendre, alors il sera réexpédié à Montréal. Nous avons eu droit à une scène plutôt cocasse aux PTT. Des postiers de mauvais poil ? D'accord. Des postiers qui grognent ? On s'y fait. Mais une postière qui se lève pour engueuler les clients qui font la queue devant son guichet en leur demandant : « Qu'est-ce que vous faites là ? », c'est fort !

Le héros de Crocodile Dundee semble avoir élu domicile à Fort-de-France, car nous l'avons croisé six ou sept fois. Seul événement marquant : une sortie cinéma. Je n'y étais pas allée depuis mon départ du Québec. J'étais impressionnée comme une gamine.

11 juillet 1992

Nous sommes aujourd'hui à Grande Anse d'Arlet. Nous pensions trouver un peu de solitude, mais il y a plus de voiliers qu'à Fort-de-France.

12 juillet 1992

Visite à des amis d'amis qui nous avaient chargés de les saluer. Nous nous sommes ensuite régalés de boudin antillais. Miam ! ! !

13 juillet 1992

Nous sommes à Rodney Bay, sur l'île de Sainte-Lucie. Nous avons navigué à voile par un vent de 20 nœuds, sur des vagues de deux mètres environ. J'étais découragée de voir les autres voiliers nous doubler à plus de six nœuds. Mais nos voiles sont si vieilles qu'elles déchirent à la moindre secousse, alors on utilise toujours un minimum de surface. Puis finalement, pourquoi se presser ?

Le mouillage est calme et la plage est belle et longue.

17 juillet 1992

Nous avons acheté un moteur d'annexe de 3.3 chevaux. C'est loin d'être désagréable quand on est habitué de ramer. De Sainte-Lucie, je n'ai vu que la marina et Port Castries, grosse ville sans personnalité. Nous avons acheté beaucoup de fruits et de légumes. Il y avait un caboteur en flammes et nous avons eu droit à une scène assez burlesque. L'équipage du bateau de guerre venu le secourir avait l'air sérieux, mais ce n'était pas tout à fait le cas. Ils se sont d'abord emmêlés dans le tuyau d'arrosage, et après plusieurs minutes, quand ils l'ont enfin mis en opération, ils sont presque tous tombés à la renverse. Puis, le bateau s'est mis à reculer et les pompiers ont arrosé l'océan jusqu'à ce que quelqu'un réussisse à faire marche avant. Entre temps, un autre navire avait éteint les flammes. Puis un homme en uniforme, peut-être un mécanicien, s'est fait conduire à bord du caboteur par un pêcheur. Elle est belle la marine française !

18 juillet 1992

Nous avons quitté Rodney Bay hier à 13 h 45 et nous sommes arrivés aujourd'hui à Port Élisabeth, dans l'île de

Bequia appartenant aux Grenadines. Le pilote à vent nous a bien aidés. Quelle merveille ! Des quarts entiers à se les rouler... La mer était assez forte dans le canal de Saint-Vincent. Une grosse houle qui nous frappait sur l'arrière. C'est la première fois qu'elle nous atteignait ainsi. J'avais l'impression d'être dans l'eau jusqu'au-dessus des lignes de vie à certains moments. La nuit renforçant l'illusion, je n'étais pas rassurée. Mais le long de l'île, c'était plus calme. Notre premier poisson volant a atterri dans le cockpit et a été immédiatement rejeté à l'eau. J'ai eu l'impression que ces 140 kilomètres n'en finissaient plus. J'avais la nausée malgré les cachets contre le mal de mer.

L'eau claire et turquoise et les plages de sable blanc m'ont redonné la forme. Le mouillage roule, mais ce n'est pas très grave. L'entrée officielle a été effectuée par mon père qui y est allé seul comme toujours. Il a eu du mal à comprendre le douanier qui s'exprimait avec une sucette dans la bouche en fredonnant du rap entre chaque question.

20 juillet 1992

Nous devions partir hier, mais comme d'habitude, ma mère faisait une crise de foie « post navigation nocturne ». Peut-être est-ce causé par un mal de mer refoulé, ou trop de surmenage dans le passé. On ne peut pas dire que ce soit des vacances sur le voilier. C'est incroyable de voir à quel point les petits travaux s'accumulent : tantôt une soudure qui cède, un tuyau qui bouche, une charnière à remplacer, la coque à brosser, une prise d'air arrachée par une écoute, une voile à recoudre, le ménage, la lessive, les repas, les courses... Quand on croit avoir terminé, une nouvelle avarie survient. Les hamacs ne nous bercent pas souvent. Comme je dois terminer mon année scolaire en un mois et demi afin de passer mes examens en septembre, je fais plusieurs heures de mathématiques par jour, malgré les décors enchanteurs et l'eau invitante. Quel courage ! Nous voilà donc à Mayero qui est un mouillage extraordinaire avec une plage étroite qui donne à la fois sur l'intérieur de la baie et sur l'Atlantique, des quantités de poissons, des palmiers... un décor de carte postale. Je n'ai su qu'après être rentrée à la nage à la limite du jour, que mes parents avaient aperçu des bancs entiers de barracudas.

Nous avons parcouru le trajet en six heures. On se roulait les pouces pendant que le pilote à vent travaillait. Quelle invention miraculeuse pour les navigateurs ! Et je n'ai même pas de retard dans mes maths, car j'en ai fait après le souper. Belle journée !

22 juillet 1992

J'ai bien aimé ces deux jours à Mayero, malgré la houle. Nous étions les plus exposés, car nous avons mouillé derrière les autres voiliers. J'en ai profité pour essayer ma planche à voile. Ce n'était pas un succès, mais j'apprendrai. Une promenade en hauteur m'a fait découvrir le petit village juché en haut d'une colline, la vue magnifique sur l'Atlantique et le turquoise des fonds sablonneux tranchant sur le bleu des grandes profondeurs. Nous sommes maintenant à Frégate Island. Il n'y a que trois autres voiliers ; c'est rare dans cette partie des Caraïbes. Le mouillage est calme et il y a un petit bout de plage.

23 juillet 1992

C'est à Frégate Island que nous avons essayé nos fusils sous-marins pour la première fois. Nous avons capturé un repas de poissons qui rapetissent étrangement de moitié quand on les sort de l'eau, après avoir enlevé nos masques. Les bouchées n'étaient pas bien grosses. C'était aussi notre première dégustation de langoustes capturées par mes parents. (Moi, je faisais des maths.) C'est la plus grande étendue de récifs que je n'aie jamais vue. Le moteur d'annexe permet d'explorer un plus grand territoire. Il est bien pratique.

24 juillet 1992

Nous sommes à Clifton dans l'île Union. C'est à trois kilomètres du mouillage de Frégate. Nous pensions effectuer une jolie promenade en voilier, mais un grain est survenu, nous coupant toute visibilité. Il a fallu attendre qu'il passe pour repérer les bouées du chenal d'entrée dans cette baie parsemée de hauts-fonds.

Nous devions obtenir les papiers de sortie ici et c'est pourquoi nous y sommes venus. Le village est constitué d'une succession d'épiceries aux tablettes dégarnies. Je demande toujours à mon père de faire estampiller mon passeport quand il se rend à la douane pour les papiers de sortie et d'entrée. Mais cette fois, l'officier de l'immigration n'avait pas de tampon. Il en a finalement trouvé un vieux poussiéreux avec le nom de l'île. Il l'a utilisé et a ajouté « souvenir » à la main sur le dessin. Très sérieux et officiel sur un passeport !

25 juillet 1992

Hier soir, Baloo s'est mis à hurler comme quand il décide de jouer au « grand gardien ». Mon père est sorti juste à temps pour voir un bateau de pêche en acier qui fonçait sur nous à 15 nœuds. Il a seulement heurté l'annexe. Notre chien a sauvé le voilier : les aboiements ont surpris le capitaine, il a constaté notre présence et il a donné un coup de roue. Autrement, c'était la collision. Un peu cinglé, non ? Aller à cette vitesse par une nuit noire dans une baie remplie de voiliers ! Nous avons allumé les lumières de mât pour le reste de la nuit. Nous voilà à Cariacou, dans Tyrell Bay.

27 juillet 1992

Nous avons visité la plus grosse ville de Cariacou. C'est plutôt un village avec quelques épiceries vides, des restaurants de cuisine locale et les maisonnettes habituelles, les poules, etc.

28 juillet 1992

Grenada, Port Saint-Georges. C'est ennuyeux de voir l'eau brune et le fond vaseux, après l'eau si limpide des Grenadines.

31 juillet 1992

C'est aujourd'hui le départ pour le Venezuela. Je suis un peu émue. C'est une étape de terminée, en quelque sorte. Nous avons un visa d'un an pour le Venezuela, obtenu facilement à l'ambassade de Grenada. Saint-Georges est une jolie ville animée. J'aime prendre un bain de civilisation après un séjour prolongé dans des îles quasi désertes.

Un incident s'est produit alors que nous étions en ville. Un catamaran dont l'équipage était absent a chassé en heurtant d'autres voiliers. Au retour des occupants du catamaran, les capitaines dont les bateaux avaient été heurtés se sont précipités pour parler réclamations. J'espère que nous n'aurons jamais pareille malchance : nous ne sommes pas assurés, car nous avons quitté la Floride en pleine saison des ouragans et les prix étaient exorbitants. C'était hilarant de voir les deux capitaines des bateaux endommagés. Ils ont passé la soirée à se raconter l'épisode avec des gestes immenses et en parlant de plus en plus fort, car l'un d'eux était allé chercher son meilleur bordeaux. J'aurais bien voulu entendre la version de l'incident à la fin de la bouteille...

Mes parents aux Roques, Venezuela.

Une aquarelle de mon père.

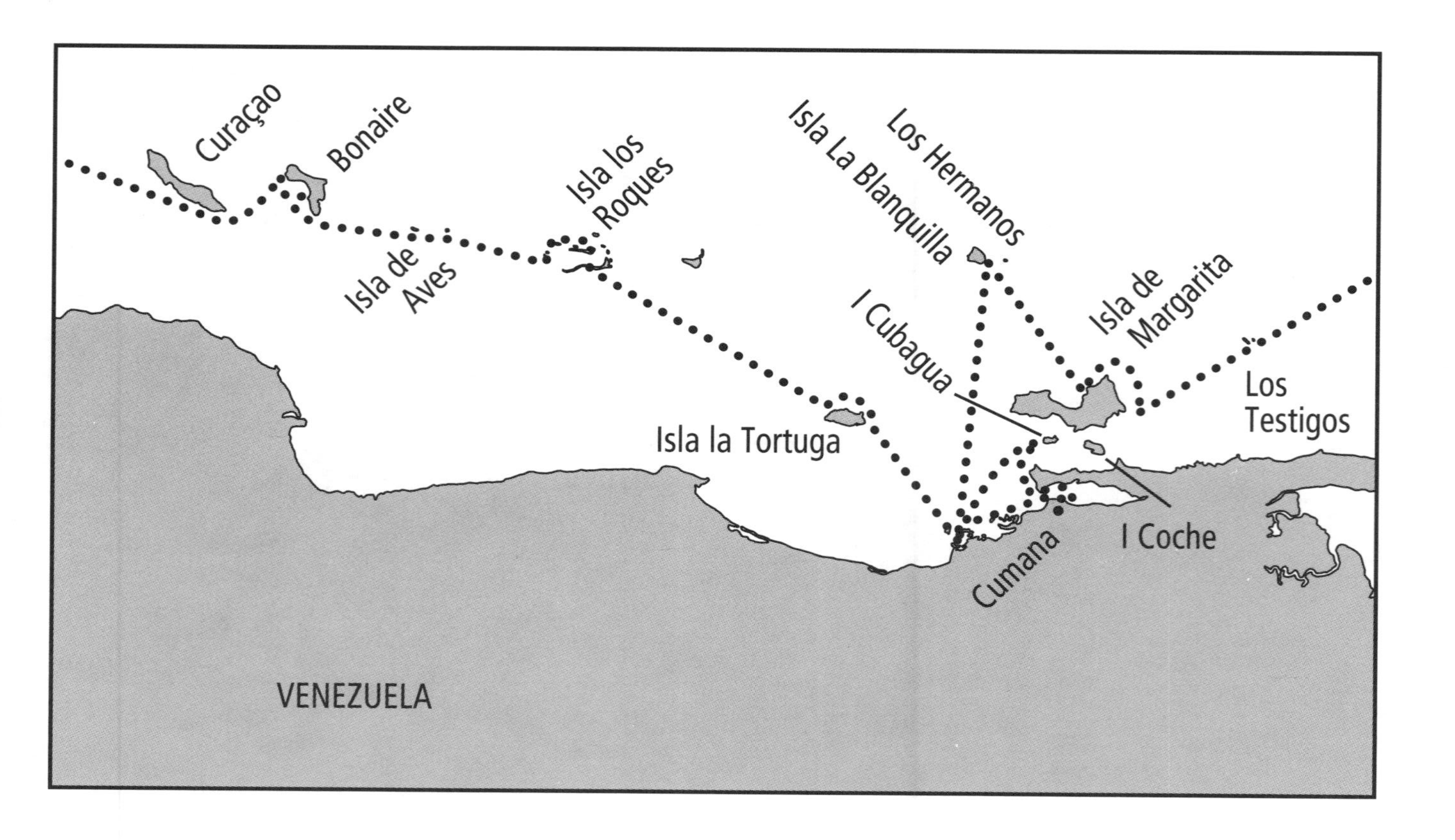

Curaçao
Bonaire
Isla de Aves
Isla los Roques
Isla La Blanquilla
Los Hermanos
I Cubagua
Isla de Margarita
Los Testigos
Isla la Tortuga
Cumana
I Coche
VENEZUELA

Huitième chapitre

Le Venezuela

1er août 1992

À 7 h 30 ce matin, nous avons jeté l'ancre devant les Testigos, premières îles du territoire vénézuélien. Depuis hier après-midi, 14 h, départ de Grenada, la navigation a été fantastique. Je ne jure plus que par les pilotes à vent. Deux heures de veille à rêvasser en surveillant le compas d'un œil et l'éventuelle apparition d'un feu de position à l'horizon, quatre heures de sieste, et on recommence. On pouvait même dormir dans les couchettes car il n'y avait pas de mer et les écoutilles étaient ouvertes. Nous avons parcouru 172 kilomètres.

2 août 1992

Quelle île fantastique ! Nous sommes au sommet d'une dune et, de l'autre côté, surprise : des kilomètres de beau sable blond, des vagues émeraudes et pas un être humain. J'ai été déçue, par contre, de voir le grand nombre de voiliers. Hier, quinze sont arrivés entre 5 h et 8 h. Une autoroute ! J'avais connu le Venezuela il y a deux ans alors que les plaisanciers étaient chose rare. C'est maintenant l'invasion. Parfois, c'est vexant de voir que nous sommes des centaines à suivre la même route, de mouillage en mouillage. Ce n'est plus une aventure exceptionnelle, mais plutôt une mode. J'espère qu'il n'en sera pas ainsi dans le Pacifique. J'avais le souvenir d'une petite baie pour un seul voilier, dans l'île de Blanquilla. J'y ai rêvé pendant toute l'année précédant notre départ et j'ai perdu l'espoir de la retrouver inoccupée. Nous nous sommes déplacés cet après-midi. De Tamarindo à la Isla de la Calentador. Encore de belles plages et des récifs superbes. Mais pas de langoustes... Un équipage en a pêché 70 en cinq jours dans les Grenadines ; c'est ce qu'on peut appeler du pillage ! De plus, la chasse est interdite en cette saison, car c'est la période de reproduction. Demain : Isla Margarita.

4 août 1992

Nous avons quitté les Testigos à 5 h 30. On a levé l'ancre, hissé les voiles, et dodo. Le pilote a travaillé jusqu'à 13 h 30. Le vent, déjà faible, est tombé complètement, nous obligeant à poursuivre à moteur pendant trois heures. La distance était de 85 kilomètres. Seul événement, mais non le moindre : un banc d'une trentaine de dauphins nous a accompagnés un long moment. C'est le plus grand rassemblement que j'ai pu voir jusqu'à ce jour. Ils sont toujours sublimes.

Nous voilà à Pampatar. J'ai été épouvantée par le nombre de voiliers. Il y a deux ans, deux ou trois se balançaient lentement au gré de la houle. Maintenant, c'est l'horreur : une cinquantaine de voiliers enchevêtrés, certains sur deux ancres, dans tous les sens, collés les uns sur les autres. Mon rêve en a pris un coup. La plage aussi s'est développée. Les restaurants touristiques ont pris la place des quelques troncs qui étaient posés sur le sable sous un toit de feuilles de palmiers. Les hôtels se sont élevés partout et bouchent la vue. Les gens sont moins spontanés, lassés de se voir envahis par les voiliers de passage. Pour eux, il n'y a aucun bénéfice. Les prix augmentent dans les magasins d'alimentation et les pêcheurs perdent leurs plages et leurs mouillages.

6 août 1992

Pampatar/Porlamar : neuf kilomètres à moteur en une heure et demie. Mouillage calme et joli à cause de la plage, mais il y a encore un grand nombre de voiliers.

8 août 1992

Quelques achats à Porlamar pendant notre séjour : bidons pour l'eau et le diesel en prévision de la traversée du Pacifique et denrées alimentaires. Il a fallu remplir deux fois le panier à provisions : la caissière n'a pas voulu accepter les chèques de voyage, alors nous lui avons demandé de garder nos provisions pendant que nous allions à la banque. Elle était fermée pour le déjeuner et, après, il y avait foule. Quand nous sommes revenus, les jeunes emballeurs, ne nous voyant pas revenir, avaient tout replacé. Il ne restait qu'à recommencer. Cette fois, nous avons laissé la viande de côté ; à cette heure du jour les comptoirs non réfrigérés dégagent une odeur, ma foi, fort particulière. Ha ! Ha ! Le soir, nous avons mangé au restaurant chinois dont nous rêvions depuis un an. Au cours d'un voyage précédent en avion, nous nous étions promis d'y revenir, mais en voilier. Finalement, ce n'était pas si extraordinaire. Les rêves enjolivent la réalité. Eh oui ! nous y sommes, et après ? On passe à autre chose.

Nous avons acheté nos billets d'avion pour Montréal. Ma mère et moi irons deux semaines. Elle, pour voir sa mère malade et moi pour mes examens. Mon père est orphelin maintenant que sa mère est morte alors que nous étions en mer. Nous l'avons appris un mois plus tard. Il juge inutile de venir avec nous et puis, deux semaines tout seul, c'est toute une chance pour lui !

Nous sommes à Juan Griego. Le but est atteint. J'étais soulagée de découvrir que mon petit coin chéri n'était pas envahi par les navigateurs. Nous avons revu notre ami Claude, le capitaine du *Menehune*, sur lequel nous avions goûté pour la première fois au plaisir de la voile, pendant l'été 1990. C'est avec lui que nous avions découvert les îles inspiratrices de mes rêveries. C'est étrange de revoir cette ville que nous avons tant sillonnée et de savoir que notre voilier nous attend dans la baie. Il n'y a pas beaucoup de changements. Le propriétaire d'une petite épicerie où nous avions nos habitudes nous a même reconnus. Je me sens un peu chez moi.

17 août 1992

Notre séjour à Juan Griego a été agréable. Nous avons eu la chance de trouver 43 cartes marines couvrant le trajet de la Colombie à la mer Rouge, les îles du Pacifique, l'Australie, l'océan Indien... C'est Gustavo le photographe, une relation établie au cours des précédents voyages, qui détenait ces cartes. Elles étaient à bord du voilier qu'il avait acheté à un couple français ayant interrompu leur voyage pour cause de grossesse. Le voilier ressemble maintenant à une épave, mais les cartes, de même que tout le gréement, s'entassent chez lui au grand désespoir de sa femme. Aujourd'hui, quand on compare ce voilier que nous convoitions l'année précédente avec *L'Échappée Belle*, on est heureux de notre choix. De plus, il nous a coûté encore moins que ce qu'il nous demandait. Le photographe lui-même, après quelques verres de vin, nous a avoué que nous aurions fait une mauvaise affaire.

Nous avons revu Gustavo quelques jours après notre arrivée. C'est le genre de « marin » qui a lu tous les livres depuis l'an 0 de la marine, dans 14 langues : techniques de voiles, récits de traversées, cours (comment ancrer, prendre un ris, changer un fusible), etc. Mais il s'est à peine éloigné des côtes de Margarita. Il veut maintenant nous enseigner la voile à nous, pauvres inexpérimentés, qui avons traversé les Caraïbes du nord au sud et naviguons depuis un an. Quand nous lui avons parlé du Pacifique, quelle crise : « Irresponsables, vous devriez pratiquer pendant des années ici, même moi qui saurais tout faire, ayant tout lu, je ne ferais pas ça. » Et bla, bla, bla. Il voulait venir une semaine avec nous à Blanquilla avec sa fille de sept ans. Oh là là ! Une semaine à se faire expliquer

Coucher de soleil sur Juan Griego, Venezuela.

comment naviguer en plus de devoir amuser la petite. L'horreur ! Nous nous étions juré de ne jamais avoir d'hôtes non désirés. De toute façon, la place est trop restreinte pour recevoir des invités plusieurs jours. Nous avons emprunté les cartes que nous ferons photocopier à Puerto La Cruz. Elles sont neuves et n'ont même jamais été pliées. Nous les lui rapporterons en venant prendre l'avion pour le Canada dans quelques semaines.

20 août 1992

Nous avons quitté Juan Griego à 21 h hier. Nous avons mouillé ce matin à Blanquilla, 118 kilomètres plus loin, dans la baie dont j'ai rêvé pendant toute la dernière année avant notre départ et où nous nous étions promis de reve-

Blanquilla, l'île qui m'a tant fait rêver, Venezuela.

nir avec notre voilier. Il y a de la place pour un seul bateau, mais un catamaran nous avait précédés de quinze minutes. Il était tout près de la plage, alors nous avons ancré et nous nous sommes rapprochés de terre quand il est reparti avec ses touristes. Cette petite baie est superbe avec sa plage de sable blanc, ses grottes, ses coraux abondants, ses poissons d'une grosseur surprenante et l'eau turquoise et claire jusqu'à une profondeur de 15 à 18 mètres. Fantastique ! Un paradis terrestre. C'était la première fois que je voyais un tel paysage, comme dans les films ; c'est pourquoi il m'avait tant séduite.

22 août 1992

Nous sommes restés seulement deux jours dans la petite baie, car un autre voilier a mouillé derrière nous et y est resté. Mon plaisir a été un peu gâché par un mal d'oreilles lancinant qui m'a obligée à commencer un traitement de pénicilline. Interdiction de baignade et de soleil, car ce dernier provoque des taches sombres sur la peau quand on est sous antibiotiques. Je suis bien triste.

Et les malheurs se suivent : Petit Pierre le soupirant est réapparu...

Il était une fois, à Sainte-Lucie, Petit Pierre le Canadien de 21 ans séjournant six mois sur le voilier de son papa et de sa belle-mère. Il aperçoit une jeune fille sur un certain voilier vert et ô miracle ! elle vient de Québec. Il repart malheureusement le lendemain, mais, dans les Grenadines, Petit Pierre revoit son amie Annabelle qui, elle, le trouve bien envahissant. Aucune insinuation ne le décourage et il réussit, alors qu'Annabelle se croyait sauvée, à convaincre son père de demeurer sur place une journée de plus. Il la retrouve ensuite à Cariacou et

Annabelle se dit qu'enfin elle ne le reverra plus, car il se dirige vers Trinidad pour deux semaines. Annabelle blaguait en parlant du pire cauchemar qui soit : l'arrivée de Petit Pierre dans sa baie chérie. Mais voilà qu'hier, alors qu'elle faisait des maths, le sourire aux lèvres malgré son otite, essayant de percer les secrets de la trigonométrie, elle entend : « Annabelle. » Voilà que Petit Pierre apparaît sur la plage, se dévêt, plonge et nage jusqu'au voilier. S'il avait pu marcher sur les eaux, il l'aurait fait. La réalité dépassait la fiction. Il faut bien trouver quelque chose à dire, même si nos centres d'intérêt communs sont à compter sur les doigts... d'un manchot. Son papa devait venir le chercher en annexe puisqu'il était ancré dans une baie plus fréquentée, à environ deux kilomètres. Mais voilà que le soleil se couche... le souper est prêt... on l'invite donc à souper... pas de réponse de son papa malgré les appels répétés à la radio. On ne peut pas le reconduire avec notre annexe, car elle est trop instable sur la mer non protégée. Un sentier permet d'accéder à l'autre baie, alors je vais le reconduire à la plage par une nuit d'encre, en lui remettant une lampe de poche. Il faut marcher environ 25 minutes sur un sentier en gravier pour les 4 x 4. Nous lui avons bien expliqué la route, au moins cinq fois ; mes parents y sont allés ce matin, et après tout, il est lui-même venu par ce passage. Par pur instinct maternel, ma mère allume la lumière de mât. Quinze minutes plus tard, alors que nous allions nous mettre au lit, une cri désespéré retentit : « Je suis perdu. » Mes parents, pris d'un accès de gentillesse et de pitié, décident d'aller le reconduire. Il est 22 h. Vers minuit, je vois enfin des lueurs de lampes de poche sur la plage. J'étais un peu inquiète, nos lampes étant sujettes à de fréquentes sautes d'humeur. C'était sous-estimer ces deux vieux Indiens qui pourraient s'orienter les yeux fermés. Oh ! surprise... ils n'étaient pas seuls. Petit Pierre était revenu. Après avoir cheminé jusqu'à la baie, en marchant dans l'eau jusqu'aux hanches puis en escaladant les rochers, car la marée haute avait fermé le passage emprunté le jour, ils n'ont vu aucune lumière. Papa et maman Petit Pierre avaient éteint et dormaient. Aucun signal n'a réussi à les faire venir sur le pont. Et d'ailleurs, Petit Pierre ne se rappelait plus si le voilier était dans cette partie-ci de la baie, ou celle-là, ou derrière le bateau rouge, ou à gauche... il n'était même plus certain de la baie. Quel sens de l'observation ! C'est ainsi que ce gendre indésirable a fait un gros dodo sur *L'Échappée Belle*. On lui a installé un lit dans le carré alors, plus de pipi par-dessus le balcon arrière la nuit. Annabelle est donc allée reconduire Petit Pierre au matin jusqu'à ce qu'elle voie les mâts de son voilier et même tout le voilier.

Il n'est pas revenu malgré son intention de me visiter dans l'après-midi. Peut-être l'orage y est-il pour quelque chose, ou mon explosion de joie trop faible quand il me l'a annoncé. Je suis tellement occupée... et demain je le serai encore plus, je le sens.

2 septembre 1992

Pendant 14 jours, nous avons flâné dans les quelques mouillages de Blanquilla et Los Hermanos. J'ai fait des maths, car mes examens approchent !

3 septembre 1992

Nous sommes partis ce matin pour nous rendre à Puerto La Cruz. Pendant notre séjour sur les îles désertes, il y a eu un ouragan dévastateur et plus violent que Hugo. Il a été nommé Andrew. Peu après, des inondations ont ravagé le Nicaragua. Décidément, la nature n'est pas de tout repos. Il y a eu plusieurs morts.

13 septembre 1992

Margarita

Nous sommes restés à Puerto La Cruz jusqu'au 12, le temps d'acheter tout le matériel nécessaire pour le carénage[53] et de photocopier 75 cartes marines en plus de

Baloo et moi devant Puerto La Cruz, Venezuela.

quelques guides pour le Pacifique Sud, principalement la Polynésie française et l'Australie. J'avais hâte de quitter cette ville dégoûtante et sale où, pourtant, un grand nombre de personnes se baignent malgré la pellicule d'huile qui recouvre la baie. Le trajet jusqu'à l'île Margarita, d'où nous devons prendre l'avion, a été long et pénible, à moteur dans la vague courte, haute et hachurée. Nous avons mis 23 heures pour faire 150 kilomètres.

Après avoir fait quelques courses de dernières minutes, nous sommes parties pour le Québec, ma mère et moi.

20 septembre 1992

Québec

Le sommeil a été difficile à trouver. C'était le premier jour. J'étais triste, vide, anéantie, étonnée d'être là, lointaine et étrangère. Quelle surprise de voir que nous avions si peu à nous dire après un an d'absence. Je voyais le ridicule de parler de nous, de notre vie alors que nous évoluons dans un autre monde.

23 septembre 1992

J'ai revu d'anciennes amies : conversations banales, comme si je n'étais jamais partie. Je m'en suis tenue à cela, car j'ai peur d'abîmer ma belle aventure en leur racontant et de me faire mal par la même occasion. Ils ne comprendraient pas. Quelque chose me coupe la parole quand je veux exprimer ce que j'ai vécu pendant cette année dans un autre univers. Je ne fais plus partie des leurs.

3 octobre 1992

Sur ces deux semaines au Québec, il n'y a pas beaucoup à raconter. Je veux juste mentionner mon sentiment de n'avoir jamais quitté cette ville au moment où j'y étais et l'impression de ne pas y être allée, quelques heures après le retour au voilier. Quelle faculté d'adaptation ! J'ai aussi redécouvert la province que je dénigrais toujours. Comme c'est beau un paysage automnal étalant ses tons orangés, rouges et jaunes. Les Laurentides étaient magnifiques à cette époque de même que la rivière cristalline et glacée qui coule près de la ferme de mes grands-parents. Je dois aussi mentionner les randonnées à bicyclette ou en véhicule tout terrain, dans l'odeur merveilleuse des fougères, des feuilles mortes et de l'air frais. Les couchers de soleil au-dessus des champs déserts sont aussi grandioses que sur l'océan. Et quel changement dans mes activités : le travail de ferme et la traite des vaches avec mes cousines. Nous n'avions que des vêtements légers pour ce début d'automne, alors nous avons retrouvé le plaisir de frissonner et de nous réchauffer auprès du feu. C'était amusant de redécouvrir le confort moderne et de consommer de l'eau à volonté. Les jolies maisons en pierre, isolées contre le froid, nous changeaient de la tôle ondulée des *casas*[54] du Sud.

Mais, il est impossible de faire comprendre aux terriens ce qu'est la vie sur l'eau, avec ses moments fabuleux, les peurs et les angoisses qu'elle inspire, les îles qui se succèdent, parfois si semblables les unes aux autres que c'en est marrant, ce monceau de choses à réparer, la magie de l'eau à perte de vue... C'est un tout qu'il faut vivre, un monde à part. D'ailleurs ils n'en ont rien à cirer, car eux aussi, ils ont leur vie et quand ils rêvent de partir, ce n'est pas la réparation du Perkins ou le mal de mer qui défile dans leur tête. Voilà pour le résumé du retour au pays.

En plus, je n'ai même pas pu passer mes examens, car je devais avoir 16 ans et je n'en ai que 15.

12 novembre 1992

À notre arrivée au voilier, épuisées, car nous n'avons pas eu beaucoup de repos entre les visites, les courses pour l'équipement introuvable ici et les trajets en bagnole entre Montréal, Québec et La Baie, nous avons filé à Puerto La Cruz. Nous y avons passé trois jours, du 5 au 8 octobre, pour terminer les achats de peinture et de matériaux. Nous nous sommes ensuite rendus à la marina de Navimca près de Cumana. Le carénage a duré un mois en travaillant sans arrêt, du lever au coucher du soleil. Peinture du pont, de la coque, *antifouling*[55], finition intérieure de ma ca-

Le carénage à la marina Navimca, Venezuela.

bine, réfection de la cuisine, changement du réservoir à diesel, installation de mains courantes sur le pont, soudure de taquets pour fixer les harnais de sécurité pendant les manœuvres, et des tas d'autres petits radoubs.

24 novembre 1992

De retour à Puerto La Cruz...

Quels soucis ! Les vagues n'ont pas diminué. Les grandes marées d'hiver font remonter l'eau très loin sur le rivage et créent une houle dangereuse. Ce matin, j'ai reconduit mes parents sur la plage et je suis retournée au voilier sans trop de difficultés. J'avais peur de retourner à terre avec Baloo, mais j'y suis allée quand même et mon père m'a aidée quand je suis arrivée à la plage. Pour repartir, quel cauchemar. Nous rapportions le nouveau mouillage, 15 mètres de chaîne (40 kilos), mes cadeaux de fête (à ne pas mouiller) et des provisions. Une vague a rempli l'annexe. On a écopé et on l'a poussée en vitesse de l'autre côté des brisants. Mon père et moi sommes montés à bord et ma mère nous a passé les paquets à bout de bras, entre deux vagues, puis elle est montée. Nous étions tous mouillés jusqu'à la taille, mais la marchandise était saine et sauve.

Hier, même scénario : en approchant du rivage, une immense vague est arrivée ; elle nous a soulevés et, la seconde d'après, je n'ai plus rien vu. Mes parents ont eu très peur. Nous étions à plus d'un mètre dans les airs, l'eau s'est retirée brusquement, nous sommes tombés du haut de la crête, l'annexe s'est couchée et une autre vague nous a frappés. Tout cela en une seconde. Nous avons fait les courses avec nos vêtements trempés. Quand nous sommes revenus avec des dizaines de sacs de nourriture, des serviettes sanitaires, des cotons-tiges et des mouchoirs de papier, ce n'était pas le moment de recevoir une déferlante. Demain, nous chercherons une place à la marina ; les corvées d'eau et de ravitaillement en diesel sont impossibles dans ces conditions.

(Que de péripéties pour accomplir un geste aussi simple qu'atteindre la terre ferme.)

25 novembre 1992

Nous sommes à la marina Americo Vespuccio. Wow ! de l'eau douce à profusion. J'ai d'abord lavé le pont, puis mon linge, Baloo, tout ce qui me tombait sous la main. Un vieux capitaine vénézuélien est venu avec son copain pour discuter, tout simplement. Au dessert, il est revenu nous avertir que le vent augmenterait et il est remonté à bord. Nous lui avons offert thé et renversé aux ananas. Il a eu 36 enfants ! ! ! Les douches sont géniales : jets puissants et intérieur propre, c'est tranquille, il y a de l'herbe pour laisser courir Baloo et pas de chiens errants qui jappent après lui. J'y passerais volontiers quelques jours.

27 novembre 1992

J'étais restée seule au voilier pendant que mes parents se baladaient à Puerto La Cruz. Ils sont revenus au début de l'après-midi, en rapportant les dernières nouvelles. L'armée fermait tous les commerces, les restaurants, marchands de rue, etc. Il y a eu un coup d'État à Caracas. Le vieux capitaine vénézuélien faisait les cent pas sur le quai. Il n'osait pas parler. À un moment, il s'est approché de nous, les larmes aux yeux et a dit : « Muchos muertos[56]. » Le soir, on a rencontré un ami habitant le pays depuis plus de dix ans et il a résumé la situation. Les élections sont proches, alors le président a monté un faux coup d'État pour toucher la population et se présenter comme un sauveur. En attendant, les droits constitutionnels sont suspendus ; les citoyens ne sont plus rien. Le couvre-feu est à 18 h. Il y a déjà 50 morts et l'armée occupe l'aéroport. Les touristes peuvent rester pour 24 heures encore. Toute la soirée, je songeais qu'à quelques milles de là, des familles apprenaient la mort d'un des leurs.

28 novembre 1992

Les magasins sont ouverts de nouveau. Dans les journaux, il y a des photos de cadavres de civils, de palais démolis, d'explosions. Ça a bardé. J'ai lu le journal en espagnol, mais je ne comprends pas tout.

Nous avons fait des courses. Nous sommes revenus en taxi, chargés de nourriture pour chiens, de fruits, de légumes et d'œufs. Le taxi qui nous ramenait à la marina a dérapé et le véhicule s'est retrouvé sur le terre-plein. Il s'est arrêté tout près d'un arbre. Heureusement ! Il tombait une pluie diluvienne, alors il a fallu tout décharger dans ces conditions. Dans l'après-midi, mes parents ont fait des conserves de viande pour les navigations à venir : foie gras et poulet. Elles sont très réussies !

1er décembre 1992

J'ai 16 ans et puis ?

Ce matin, lessive de mon couvre-lit qui est passé du jaune au blanc éclatant. La gloire d'une ménagère ! Pouah ! J'ai aussi lavé le pont. Baloo se mérite le premier prix pour ce qui est de le salir. Il est très doué. Ensuite, nous sommes allés chez le vétérinaire. Sa glande sébacée est défectueuse. Pour l'instant, avec la potion, cela devrait guérir. Pour ses coudes pelés, il n'y a rien à faire. Pilules, shampooing, vitamines ; j'ai hâte qu'il guérisse et nous refasse des poils. Je sais que c'est paradoxal, car je viens de me plaindre qu'il y en avait plein le pont, mais la santé de mon toutou chéri passe avant tout. Au retour, j'ai rencontré Petit Pierre. Encore. Mais cette fois, il m'a sauvée. Une fille voulait me présenter son frère de 37 ans secrètement amoureux et ayant visiblement fumé une grande quantité de substances illicites.

Nous nous sommes querellés pendant mon souper de fête. Mon père croyait que je n'étais pas satisfaite de mes cadeaux, alors que j'étais tout simplement angoissée à l'idée d'avoir un an de plus. Vivement le large ! ! ! Je m'efforce de ne pas avoir d'états d'âme. Les anniversaires me donnent le cafard. Qu'est-ce que ce sera à quarante ans ? Ha ! Ha !

2 décembre 1992

Dernier lavage, dernière douche d'eau douce, remplissage des réservoirs et préparation pour la prochaine navigation. Nous avons quitté la marina sans problème, mais l'ancre et la chaîne étaient très sales. La mer et le vent étaient violents. Après deux heures de voile à recevoir des embruns, nous sommes revenus mouiller à Puerto La Cruz vers 8 h : trois autres heures de voile pour le plaisir. Pouah ! Petit Pierre est revenu, mon petit doigt me l'avait dit. Il est vite reparti, car on était en plein travail.

3 décembre 1992

Chimana

Baignade, un peu de plage, lecture. Je me suis calmée, mais je détestais mon père il n'y a pas si longtemps. La chimie n'a pas amélioré mon humeur, mais ça va. Quelquefois, je bloque sur un passage, sans raison. Ce sont parfois des trucs évidents, mais il faut que j'arrive à me les expliquer, me les « dessiner », pour comprendre. C'est étrange.

J'aurais aimé partir ce soir, mais mes parents ne veulent pas.

4 décembre 1992

Un peu d'escalade et des millions de piqûres d'épines de cactus. J'en avais partout et Baloo aussi : dans le museau, sur une paupière, dans les pattes, etc. Je n'ai pas vu de jolis cristaux comme en avaient trouvé d'autres équipages. Nous sommes partis vers 16 h, mais la mer était forte et il n'y avait pas de vent, alors nous sommes retournés dans une autre baie pour attendre qu'il se lève. Nous avons pris un corps-mort qui sert pour un voilier qui fait des excursions d'une journée, mais nous avons chassé. Pauvre propriétaire qui le cherchera demain.

5 décembre 1992

Nous sommes à l'île Tortuga.

Après cette nuit de bon vent sur une mer mouvementée, juste assez pour donner des sensations fortes à la barre, j'ai fait un gros dodo. J'ai passé l'après-midi à la plage. Elle est sublime. Le sable est blanc et merveilleusement fin, l'eau limpide, mais il n'y a pas de coraux. *Giva* et *Babaloo* (voiliers québécois) sont là. Sur cinq voiliers au mouillage, il y a quatre pavillons canadiens dont trois équipages sont québécois. Décidément, quel dépaysement...

6 décembre 1992

Longue balade dans l'île en suivant les mille et un

symboles de la « civilisation » apportés par la marée : bouteilles, contenants de plastique de toutes sortes, sandales, membres de poupées, caisses de sodas, etc. On ne voit pas de bancs de coraux. La mer est déchaînée sur l'autre face de l'île. Arriver en annexe ici, ce serait la noyade assurée. J'en avais la chair de poule.

8 décembre 1992

Un peu de physique, puis une balade sur la plage avec mes parents. Nous avons dégusté de beaux filets de dorades donnés par un pêcheur à qui mon père a prêté la génératrice. Après avoir joué du synthétiseur, je suis allée chasser avec mon père et un autre capitaine. Nous sommes allés loin du mouillage avec son Zodiac à fond rigide et son gros moteur. C'était ma première expérience de plongée en apnée dans la grosse mer. J'ai transpercé mon premier poisson perroquet d'un coup de fusil, mais il a filé, car le bout de ma flèche ne s'est pas ouvert. Je l'ai revu plus loin, méfiant, avec une grosse plaie. C'est triste. J'espère qu'il guérira. L'idiot de capitaine qui nous accompagnait a tué une superbe ange femelle d'au moins 30 centimètres pour Baloo. C'est un geste stupide pour quelqu'un qui vit depuis plusieurs années sur l'eau. J'ai eu de la difficulté à découper ce chef-d'œuvre de la nature pour mon chien, si capricieux que je dois lui couper des bouchées exemptes d'arêtes et de peau. Il est moins dédaigneux avec les vieilles carcasses fermentées qui jonchent la plage.

11 décembre 1992

Trajet à moteur jusqu'à une petite île devant Tortuga. Nous sommes seuls. J'ai fait de la plongée en apnée avec mon père. Ma mère est clouée au lit par un mal de dos. On a tué quelques poissons. Mon père m'énerve quand je nage avec lui, car il est toujours en train de crier mon nom pour me montrer quelque chose ou faire un commentaire. J'ai des yeux pour voir !

Cet après-midi, on avait laissé le chien sur la plage en lui ordonnant de ne pas nous suivre. Après avoir hurlé et pleuré pendant longtemps, il nous a rejoints à presque deux kilomètres du bord. Brave cabot. Son poil repousse lentement.

12 décembre 1992

Balade avec Baloo, puis discussion avec un vieux couple venu de Malte en bateau-moteur. Après le repas, échange de livres avec un autre équipage. Je suis satisfaite de notre nouvelle bibliothèque. Ma mère ne va pas mieux.

28 décembre 1992

Nous naviguons depuis le 13 décembre, d'île déserte en île déserte : Les Roques, parc national vénézuélien. Aujourd'hui, nous avons fait une excursion, et nous sommes tombés sur une aire de reproduction de pélicans. C'est rempli de gros bébés duveteux. C'est Baloo qui en a aperçu un le premier et il s'est mis à hurler. Pauvre petit ; il devait être tombé de son nid car tous les autres étaient au sommet des mangroves[57]. Nous l'avons remis dans un nid en espérant qu'une mère le nourrira. Dans un autre nid, il y avait des œufs gros comme ceux des poules. Ils doivent grandir très vite, car certains petits mesuraient déjà 40 centimètres de haut, et arboraient une poche qui semble faite en papier de soie. Ils n'arrêtent pas d'ouvrir leur bec pour pincer. Ils sont vraiment mignons. Demain, on fera une excursion sur une petite île adjacente. Il paraît qu'elle est remplie de flamants roses.

Il vente sans cesse et les grains se multiplient.

29 décembre 1992

Journée débutant par une crise de haine hyper aiguë envers mes parents. Juste le fait de les voir jour après jour, de vivre à trois sur 12 mètres de long, de connaître toutes leurs moindres petites habitudes, bref, tout un tas de petits détails me mettent parfois hors de moi sans qu'une situation particulière déclenche la crise.

Ensuite, ma journée a été agréable : photos de bébés pélicans, excursion à la petite île en marchant dans l'eau jusqu'à la taille, retour à la nage avec Baloo. (J'essaie toujours de m'éloigner de mes parents quand je vais en excursion avec eux, car j'ai l'impression de les suivre comme un gros toutou et ça gâche toute ma promenade.) J'ai vu des flamants en vol, puis ils se sont posés et sont venus tout près, superbes et élégants. On a dîné de saucisses et de pain cuits sur un feu de bambou au milieu des cris des pélicans. Baloo a eu droit à un poisson braisé.

31 décembre 1992

Grande balade avec Baloo. Vive la solitude !

En cette fin d'année sur une île déserte, comment vais-je ? Toutes ces merveilles me retiennent, je ne peux plus envisager de vivre sans ce soleil sur ma peau et ces promenades à demi nue, sur le sable chaud. Cependant, j'ai de plus en plus de mal à supporter la vie à trois. Cette solitude dans la promiscuité me pèse. Est-ce l'effet de la température affreuse qui sévit et de ce vent fou qui hurle ce soir ? Attendons la suite ! En avant ! À moi le monde !

1er janvier 1993

Nous sommes allés à la plage après avoir hésité, car les vagues étaient énormes et l'annexe est si instable. Finalement, on en a reçu deux qui ont rempli le fond. À la troisième, ouf ! la terre. Au retour, nous avons assisté à un spectacle fabuleux. Une dizaine de perroquets géants de presque un mètre, multicolores, se nourrissaient à quelques centimètres du rivage, dans si peu d'eau que leurs nageoires dorsales et une partie de leurs corps étaient hors de l'eau. Époustouflant ! J'aurais fait une photo superbe, mais ma mère les a montrés à Baloo qui a sauté dans le tas. Dispersion instantanée.

Les oiseaux des Aves, Venezuela.

2 janvier 1993

Lever à 5 h 30. Je croyais que j'allais mourir ! Mauvaise navigation. Vent arrière et mer agitée. Nous devions tirer des bords, car il était impossible de monter dans le mât pour détacher le tangon[58]. Pratique ! Arrivée vers 16 h aux Aves. Dix minutes de plage pour satisfaire Baloo qui rêvait de poser ses pattes sur le sol, puis expédition avec ma mère en annexe dans les mangroves immenses. Nous sommes retournées chercher mon père qui n'avait pêché que des poissons coffres aussitôt rejetés à l'eau. Nous avons fait des photos extraordinaires en plan rapproché de couples et de bébés oiseaux blancs ou gris, à bec rose et turquoise. Ils crient très fort. Les parents ont la grosseur d'une mouette et sont des centaines à jacasser. Spectaculaire !

3 janvier 1993

Navigation. Grosse mer, mais bon vent. Bon mouillage derrière une petite île en sable avec une maison de pêcheur abandonnée et deux palmiers. Souper de mérous de rocher et de mérous à pois rouges.

4 janvier 1993

Balade avec Baloo. Lavage et grand ménage. Physique. Courrier. Ouououou fait le vent.

5 janvier 1993

Très belle journée. Chasse et plongée en apnée. L'un des fusils est brisé, alors c'est mon père qui chasse. Trois *yellow tails*, un petit *big eyes*, deux perroquets. Nous les avons fait cuire sur la braise avec des pommes de terre et des oignons. Un délice ! Encore de la physique. Il n'y a donc pas de vacances scolaires sur l'eau ?

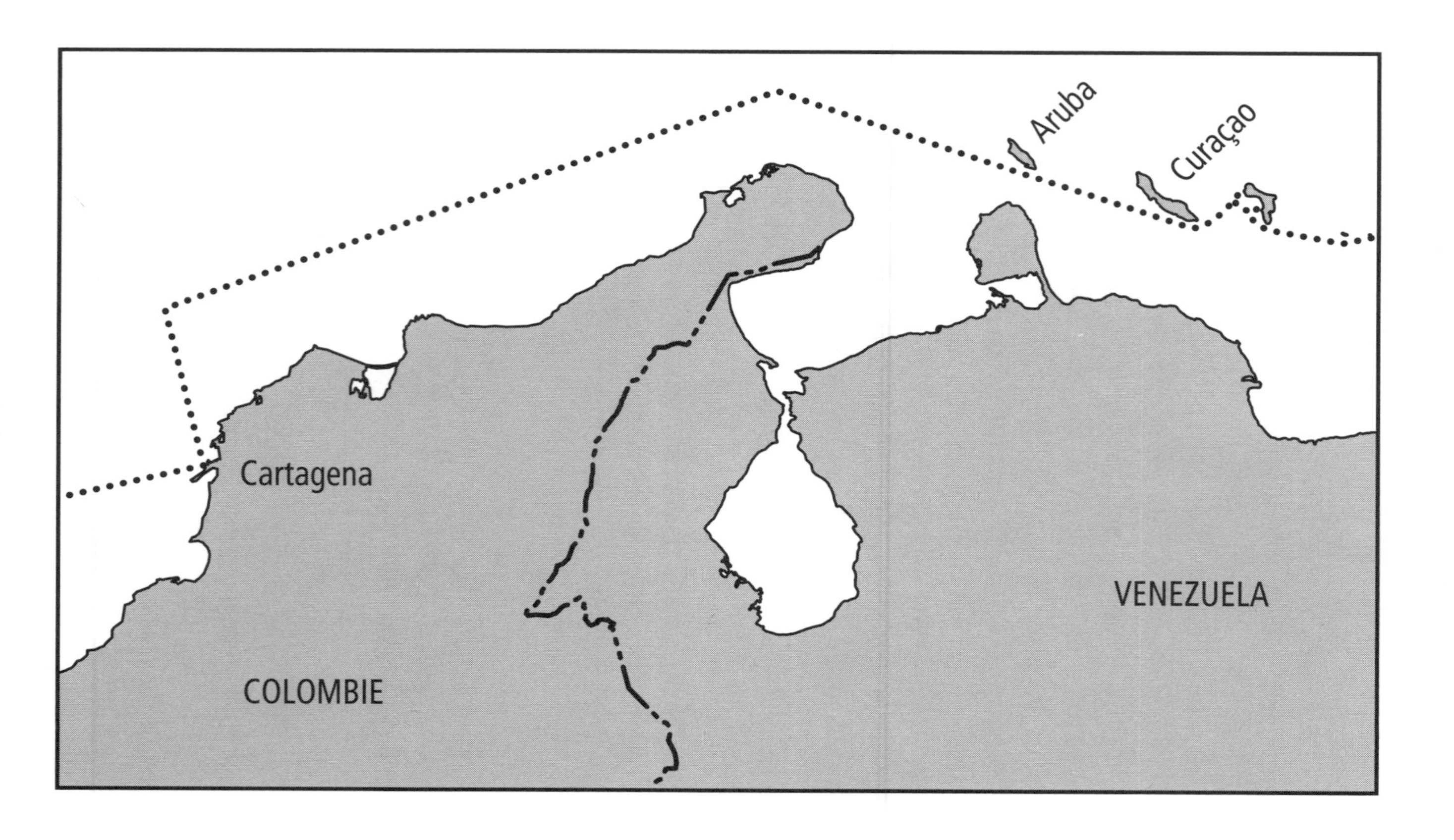
Aruba
Curaçao
Cartagena
VENEZUELA
COLOMBIE

Neuvième chapitre

Les îles hollandaises

6 janvier 1993

Navigation agréable, malgré les orages intermittents. J'ai fait un pas de plus dans mon expérience à la barre. Un coup de vent subit m'a fait passer de vent arrière à vent debout en trois secondes. J'ai paniqué en demandant quoi faire, mais j'ai continué à barrer et, finalement, quelle sensation ! J'ai rétabli le cap seule. Pour mouiller, quel désastre ! Une heure quarante-cinq à faire deux fois le tour de la baie pour trouver le bon endroit, car les voiliers sont cordés et il y a une profondeur d'eau de 25 à 30 mètres. Finalement, on a jeté l'ancre derrière les autres.

Jolis bâtiments neufs, architecture différente. Nous sommes à Bonaire.

7 janvier 1993

Balade dans la ville toute la journée avec Baloo et mes parents. Il y a de si jolies maisons, jaunes ou roses, avec des balcons et des colonnes. De véritables décors pour romans d'amour. L'eau est incroyablement claire. On voit les poissons perroquets en marchant dans la rue si on se penche sur le bord de l'eau ! Au retour, nous avons conversé avec un couple de New-Yorkais qui ont acheté une maison face au mouillage, il y a cinq ans. Ils ont une belle labrador blonde de six mois. Nous avons revu un équipage allemand rencontré aux Roques. Ils nous ont assaillis comme de vieux amis pas vus depuis 120 ans ! Le capitaine a saisi les deux mains de mon père, embrassé ma mère, j'étais estomaquée. S'ennuient-ils ? Ils avaient leurs bicyclettes. C'est merveilleux de découvrir des îles à vélo. Il y a aussi l'équipage du *Island Belle*. Ce sont les propriétaires de Roxy, la copine labrador de Baloo, rencontrée à la marina de Puerto La Cruz. Ils ont couru pour venir à nous. Les gens de mer sont parfois attachants !

À Bonaire, il y a 50 % de Noirs, 50 % de Blancs et la langue est atroce à comprendre. Des mots espagnols avec un orthographe hollandais.

8 janvier 1993

Quelle journée ! D'abord, invasion de crabes minuscules qui ont bloqué les pompes d'eau de mer. Balade de Baloo dans un immense désert rempli de cactus gigantesques et de gros lézards à la queue turquoise. Je devais m'orienter correctement ! Je croyais que je découvrirais un trésor ou un amoncellement de stèles secrètes en suivant un sentier de 30 centimètres au milieu de nulle part, mais rien. Ensuite, je suis allée voir Roxy, et sa maîtresse m'a accompagnée pour la baignade des chiens. Un affreux cabot saucisse nous a suivis et essayait en vain de rivaliser avec les labradors, à la nage et à la course. Plus tard, ma mère et moi avons essayé de brosser la coque, mais les crabes nous pinçaient. C'est incroyable, il y a 25 mètres d'eau et on voit le fond parfaitement.

Pendant que mes parents étaient partis louer une bagnole avec les Allemands pour faire un tour de l'île le lendemain, j'en ai profité pour jouer du saxophone. C'est à ce moment que le pire est survenu. Il y a eu un mauvais contact dans le circuit électrique et tout à coup : bang ! Une fumée chimique et suffocante a envahi le voilier. J'ai attrapé l'extincteur et je suis allée dehors. Je me suis dépêchée d'ouvrir les écoutilles par l'extérieur ; elles étaient demeurées fermées après l'orage. J'étouffais dans cette fumée, mais je suis quand même retournée à l'intérieur, car elle continuait à épaissir. J'ai regardé sous le banc de la table à cartes et j'ai vu le foyer d'incendie. Il y a une batterie à cet endroit et on y avait rangé des bacs de plastique pour la lessive. C'est eux qui brûlaient en dégageant une fumée nocive. J'avais déjà coupé les circuits du tableau électrique et débranché le transformateur du saxophone dès l'apparition de la fumée. Ensuite, j'ai soulevé les panneaux autour pour vérifier s'il n'y avait pas de flammes dans les cales. Je m'en suis donc tirée avec quelques contenants fondus. Quand mes parents sont apparus sur la route, j'avais déjà nettoyé une grande partie de la poussière chimique de l'extincteur. Les batteries étaient vides, mais intactes. Quand on a voulu charger, bien sûr, la génératrice ne fonctionnait plus. Les Allemands sont arrivés et ont mangé avec nous. Ils sont sympathiques. Les mêmes commentaires sur l'état du monde reviennent toujours, quelle que soit la nationalité : état pitoyable de la culture en général, bouffonnerie des hommes politiques, uniformisation de la pensée autour du monde... bref, il vaut mieux être au large.

9 janvier 1993

Visite du parc national avec ses milliers de cactus, d'arbustes, d'oiseaux divers et de chèvres sauvages. Deux perroquets ont traversé la route. Les marais salants sont immenses et remplis de flamants roses et blancs. J'ai pu en photographier quelques-uns. Nous avons rencontré trois iguanes et des milliers de lézards. Il faut arrêter à tous les mètres pour les laisser traverser. C'était une belle visite. J'ai bien aimé les paysages désertiques et les pitons rocheux. Nous avons vu des dizaines de grottes, vestiges du passage des eaux. C'était impressionnant !

Ensuite, halte sur une plage pour le repas. Je n'ai jamais vu une eau si claire. C'était éblouissant ! Et puis, on aperçoit les barracudas de très loin ! La baignade avec les masques était fantastique. Après cela, promenade devant les maisons des esclaves qui ont plutôt l'aspect et la taille de niches à chiens. Ils devaient ramper pour y entrer et vivre courbés. Toute une vie à ramasser du sel, la peau qui tombe, brûlée par le soleil et le sel, les yeux blessés par la réverbération... Quelle horrible existence !

Les grands marais de sel sont toujours exploités, mais ils ont été modernisés. L'eau est rouge dans cette partie, à cause des algues qui y poussent. Il est défendu d'y circuler en raison des nids de flamants. C'est amusant de rouler sur la route bordée d'un côté par l'eau turquoise et de l'autre par l'eau rose. Après avoir remis la voiture, nous avons pris le thé sur le bateau des Allemands. C'est un magnifique petit voilier. Toutes les manœuvres se font du cockpit, même les prises de ris.

12 janvier 1993

Navigation facile jusqu'à Curaçao malgré les grains. Spaanech Baai est une baie entourée de mangroves et bondée de voiliers.

13 janvier 1993

Autobus jusqu'à Willemstadt, grande ville avec de belles boutiques et de superbes maisons coloniales. On a rencontré un homme que nous avons connu à Saba. Étrange hasard... Il y a un immense voilier-école amarré au quai. J'aimerais vivre une telle aventure avec des jeunes de mon âge. Ils arrivent d'Espagne. Ils vont traverser le Pacifique et reviendront par Hawaii.

16 janvier 1993

J'ai étudié un peu, puis je me suis baladée avec Baloo sur la route et dans une forêt enchantée remplie d'arbres fruitiers et d'oiseaux hurleurs, mais c'était une forêt privée. Je suis entrée par une brèche dans la clôture. Je crois

Que de provisions à ranger dans un si petit espace!

que ce lieu est magique ; il y avait toutes sortes de bruits, de voix étranges. Journée terminée par de la chimie merveilleusement comprise. Je nageais dans l'inconnu et j'émerge peu à peu.

17 janvier 1993

Vers 17 h 30, en quittant le voilier avec mon père pour aller à terre rédiger un peu de correspondance, ma mère a échappé le coffret contenant leurs deux précieuses plumes fontaines. Elle pleurait, je ne l'avais jamais vue aussi effondrée. On désespérait en songeant que le fond, huit mètres plus bas, était boueux. Ma mère a pris son masque pour regarder et n'a rien vu. J'ai plongé et, surprise, c'était du sable. Il y avait deux mètres d'eau brune puis elle devenait claire. Je suis descendue une vingtaine de fois pour examiner les alentours. Difficile de savoir où le coffret était tombé, car le voilier tournait sans cesse. Soudain, je l'ai aperçu, juste sous le voilier, mais c'était très profond. Je suis remontée prendre de l'air et j'ai replongé ; j'ai vu le coffret de nouveau ! Je n'avais plus de souffle, mais j'ai continué, je l'ai saisi et j'ai regardé la surface. Elle me semblait si loin ! Finalement, j'ai rapporté les plumes. Embrassades. Ce fut un plaisir pour moi, j'avais trop de chagrin en voyant ma mère si triste. Les plumes sont des objets fétiches.

19 janvier 1993

Après les courses, nous sommes allés boire une bière à la terrasse. C'est un petit commerce génial tenu par une famille hollandaise. Toutes les annexes peuvent s'amarrer au quai, et divers services sont offerts (eau, douches, nourriture, location d'autos, restaurant) à des prix raisonnables. Il y a plusieurs beaux mecs, dont un Brésilien vraiment très séduisant. Le soir, je suis retournée pour la projection d'un film. Baloo, le « chien poule », ne s'est pas couché avant mon retour.

20 janvier 1993

J'ai un peu discuté avec le fils du propriétaire de la petite marina dont j'ai parlé hier et le Brésilien. Ils m'ont présenté une fille de 20 ans qui navigue avec ses parents. On se reverra, car elle part dans la même direction. C'est dommage, je viens tout juste de me faire de nouveaux amis et nous partons demain. J'aurais dû aller leur parler avant, mais j'étais intimidée.

21 janvier 1993

Navigation vers Aruba. Bon vent, bonne vitesse, mais grosse mer et nuit sans lune. Nous n'avons jamais autant roulé. C'est triste de quitter mes nouveaux amis. Je n'ai passé que quelques heures avec eux, mais j'ai réalisé que c'était très agréable de me retrouver en compagnie de jeunes de mon âge.

22 janvier 1993

Nous sommes arrivés au matin après avoir chargé les batteries avec la génératrice. Elles étaient encore mystérieusement à plat. Le vent hurle, hurle fort. Dodo.

24 janvier 1993

Balade en ville. Un homme joue d'un immense orgue de Barbarie peint à la main et décoré avec des personnages sculptés agitant des clochettes. C'était si beau. Il a joué *L'Hymne à l'amour* de Piaf. Il fait le tour du monde avec son orgue. Il l'a construit lui-même.

J'ai lu le livre *Caraïbes*, sur l'histoire des Arawak et des Mayas. Il m'a fait rêver : des civilisations pacifiques et fantastiques, des combats époustouflants sur des galions magnifiques avec épées et canons, des attaques de villes fabuleuses. J'aurais voulu voir cela. Je ne croyais pas que ces histoires de pirates étaient véridiques. Quelles épopées !

26 janvier 1993

La température est de plus en plus mauvaise. Le vent hurle. Pas de sortie. Nous avons remonté l'annexe sur le pont. Nous ne voulons pas mouiller plus proche de terre, car si le moteur tombe en panne, nous sommes projetés sur les récifs. Devant nous, le Nubian, un voilier ami, chasse aussi. On a posé une ancre au fond de l'eau au cas où la première glisserait. Pour le moment, elle semble bien travailler (je suis allée voir). J'ai trouvé, au fond, une Denforth de 35 livres avec le manche cassé. Le propriétaire a dû subir un sérieux mauvais temps. Impossible de la remonter à la nage.

Plus tard, j'ai replongé. On voyait le sillon fait par l'ancre qui chasse. On a seulement rallongé la chaîne et cela tient pour le moment. Quel stress ! Il y a des rafales de 40 nœuds au moins.

27 janvier 1993

Lecture et sortie en ville avec ma mère et Baloo, malgré les vagues. Au retour, le vent était enfin tombé. Alors que nous allions retourner au voilier, Baloo s'est échappé pour aller rejoindre trois autres chiens. À mon arrivée, ils se battaient. On a eu du mal à les séparer, leur propriétaire et moi. Baloo avait du sang dans le cou et sur la bouche. Dans la soirée, il s'est mis à respirer par saccades avec un bruit de poumons abîmés. Ses yeux se fermaient, tournaient au rouge, il ne bougeait plus. On était persuadés qu'il mourrait. On pensait qu'il s'était empoisonné. Il y a du poison dans des boulettes de viande sur le terrain de l'aéroport, pourquoi pas ailleurs alors ? Son nez et ses oreilles étaient glacés. On l'a couché à l'intérieur, il ne pouvait plus bouger les pattes. Cet état a duré au moins une demi-heure, puis il s'est un peu réchauffé. Plus tard, il a voulu monter sur le pont ; ma mère l'a porté, il était incapable de grimper. Tard dans la nuit, il respirait encore difficilement. Le lendemain matin, il était en forme. Sauvé ! Ouf ! Mon père croit que c'était une crise d'épilepsie. Il bavait beaucoup.

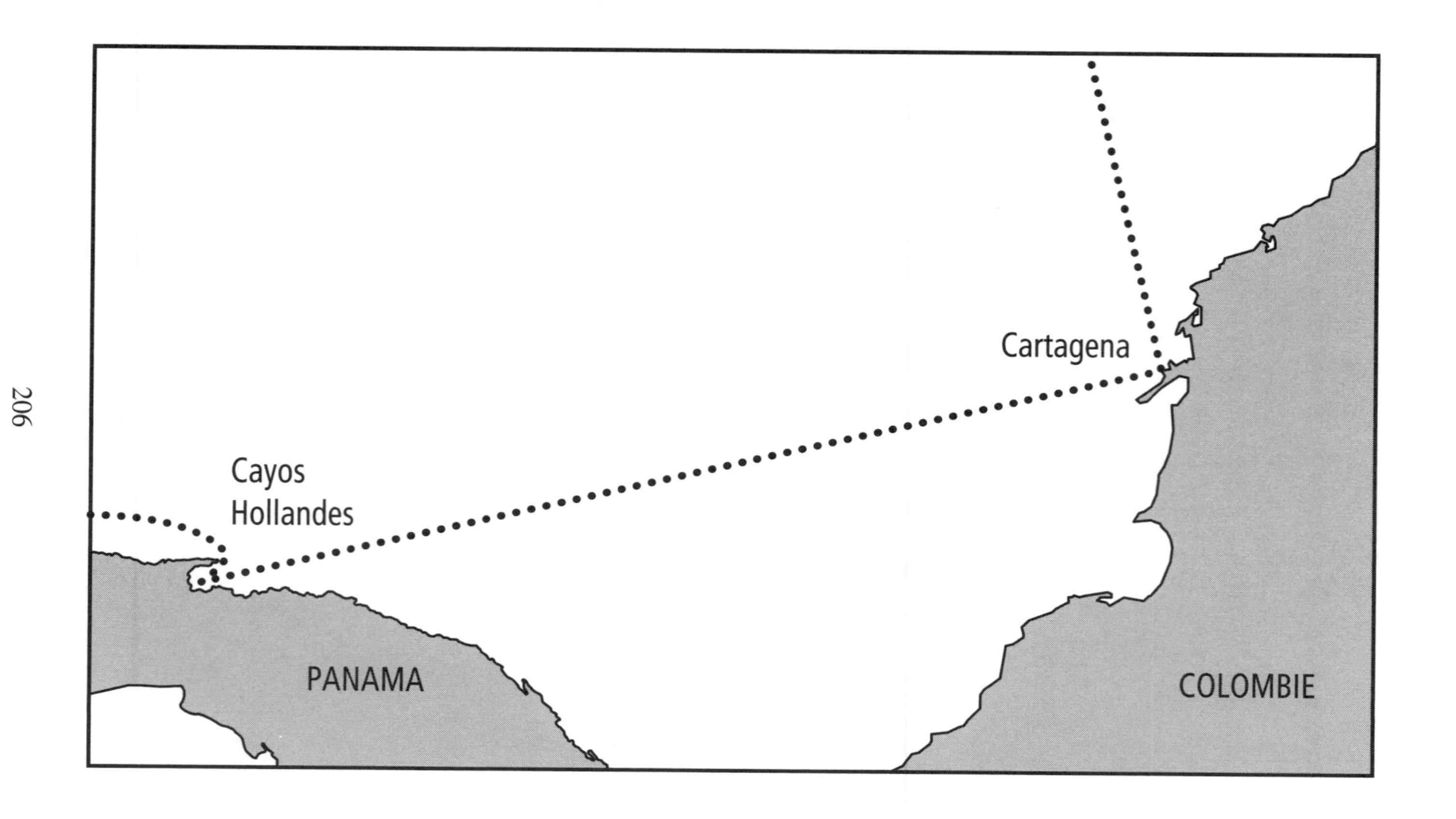
Cartagena
Cayos
Hollandes
PANAMA
COLOMBIE

Dixième chapitre

La Colombie

3 février 1993

À minuit le 30 janvier, nous sommes partis pour Cartagena en Colombie. Nous avons eu quatre jours de navigation agréable. Il y avait un peu de houle, mais la mer est restée raisonnable. Le vent était faible, mais constant. Notre vitesse moyenne a été de trois nœuds, mais nous avons fait des pointes de sept nœuds. Nous avons expérimenté la navigation en ciseaux. Sublime ! Le pilote fonctionne à merveille. Nous avions commencé par tirer des bords, mais quelle révélation que cette disposition des voiles !

Nous avons été abordés par une embarcation provenant d'un immense bateau de guerre appartenant aux garde-côtes américains. Auparavant, nous avions été photographiés un bon moment par des hommes en hélicoptère, qui m'ont effrayée en faisant voler l'eau tout autour du voilier avec l'air que déplaçait leur hélice et en gonflant dangereusement nos voiles. Il y avait six garde-côtes. Quatre sont montés à bord avec leurs uniformes, leurs bottes de combat, leurs gilets de sauvetage à la Rambo et leurs mitraillettes dans la ceinture. « Inspection de sécurité », disaient-ils. C'était plutôt un contrôle pour démasquer les trafiquants de drogue. Quand ils ont constaté que nous n'étions pas méchants, pour se faire pardonner leur intrusion, ils ont demandé :

« Vous n'avez besoin de rien ?
— Non !
— Des fruits frais ?
— Oui, ma fille apprécierait. »

Bang ! Une caisse de pommes nous a été livrée avec en prime un sac de glace. Nous n'avons pas de frigo, alors ce n'était pas de refus. C'était comme dans les livres quand ils distribuent cigarettes et chocolat après la guerre.

Nous avons mouillé au coucher du soleil. Je me suis endormie en croyant encore entendre : « Annabelle, ton quart. »

4 février 1993

Visite en ville. C'est étourdissant comme à Paris. La vieille ville est superbe avec ses rues étroites ornées de balcons. Des vendeurs itinérants offrent des milliers de nouvelles petites délices, même des œufs d'iguane. Un immense monastère a été transformé en cinéma ; des boutiques occupent les cellules des moines. Il y a, au centre, une cour intérieure fraîche et verdoyante. De toute beauté ! On s'est fait avoir par un changeur de billets de banque dans la rue. Voici sa technique : il offre un taux de change élevé et te remet l'argent colombien, tu comptes en mettant les billets en ordre et tu t'aperçois qu'il en manque, l'autre en redonne en disant qu'il va tenir les billets qu'il avait déjà donnés pendant que tu comptes les nouveaux. Il te remet le tout, tu lui donnes les billets américains, il te serre la main, tu recomptes... mais l'escroc est déjà loin. Prestidigitateur, il a enlevé tous les gros billets de la première liasse.

Mes parents ont eu plusieurs altercations aujourd'hui. Ou plutôt, plusieurs remarques de mon père ont fâché ma mère. Elle a pleuré. Ils ne se parlent plus. Elle a annoncé qu'elle quittait le bord. J'ai tenté de discuter avec elle ; elle dit que je suis comme mon père. J'espérais qu'ils se raccordent pendant que je prenais ma douche à la marina, mais non. Attendons la suite.

Dans la nuit, nous avons longuement reparlé à ma mère qui était couchée dans le cockpit, car elle boudait encore.

11 février 1993

Aujourd'hui j'ai écouté des cassettes prêtées par un autre équipage : un prof français (Pascal), sa femme et leur gamin hyperactif. Il y en a une d'un chanteur que je ne connaissais pas : Charlélie Couture. Je suis tombée dans un désespoir total en écoutant ces inepties. Quand je pense qu'il bouleverse la France et que tous le trouvent génial. J'ai essayé en vain de lui découvrir un quelconque intérêt, en admettant que ses chansons sur la banalité des jours puissent refléter la vie des gens et en essayant d'imaginer que ceux-ci s'y retrouvent parce qu'il est le seul à le dire. Les deux premières chansons ? Bon, ça peut aller, même si le vocabulaire est pitoyable. Mais que les gens crient « au génie » en l'entendant parler de « poils frisés sur le lavabo » ou de « j'étire ma gomme, je la remâche, je l'étire, il n'y a plus de sucre dans la gomme », je démissionne. Quand Pascal me dit qu'il l'écoute parce que cela le fait réfléchir, je voudrais bien qu'on m'explique. Je suis totalement nulle ou quoi ? Mon incompréhension face à l'admiration que l'ont peut avoir pour ce chanteur me peine et me décourage. Il faudrait que je m'assoie avec un de ses admirateurs et que je décortique chaque phrase pour essayer de trouver ce mystérieux génie. Deux chansons de Gainsbourg m'ont fait descendre encore plus bas dans l'échelle de la décadence. Je suis fatiguée de leur trouver des excuses, à tous ces crétins ! Les chanteurs et leurs admirateurs. Cela ne leur saute pas aux yeux que trois ou quatre mots qui n'ont rien à faire ensemble entre deux notes de guitare, c'est médiocre et rien de plus ? Il est vrai que la moyenne des ours n'a pas percé ses premières dents en écoutant Brassens.

12 février 1993

J'en ai de plus en plus marre de la vie de voilier. Marre d'aller d'épicerie en épicerie : ..., Ram, Mamouth, Cada, etc. Marre de ne parler qu'avec moi-même, de ne pas m'éclater avec des copains, marre de mes cours.

13 février 1993

Cet après-midi, mon père et moi sommes allés échanger des livres avec l'équipage qui m'avait prêté les cassettes. Comme ils n'arrêtaient pas de me questionner sur ce que j'avais aimé, je leur ai demandé le pourquoi du génie de Couture, en leur mentionnant la pauvreté de ses paroles. Ils m'ont dit que j'avais en partie raison, mais que les chansons racontaient des choses qu'ils avaient vécues et qu'ils aimaient sa façon d'écrire. Ça ne le rend pas plus génial à mes yeux. Ils m'ont prêté d'autres cassettes ; les musiques me touchent parfois, mais elles sont gâchées par la voix et le ridicule des paroles. Finalement, c'est pénible à écouter.

14 février 1993

Depuis mon arrivée en Colombie, un jeune Américain me fait de grands saluts, des sourires, et me regarde beaucoup. Il navigue en solitaire sur le *Iphigenia*. Il discute toujours avec de vieux couples américains. Peut-être ses parents sont-ils du nombre ? Il est grand et musclé. Son teint hâlé et ses cheveux châtain clair font ressortir le vert émeraude de ses yeux doux et charmeurs... Quelle description idiote, mais je suis déjà envoûtée, alors je n'ai plus toute ma tête... Ha ! Ha !

16 février 1993

Je me suis disputée avec mon père. Il m'avait dit d'arrêter de bousculer ma mère en paroles. En résumé, je lui ai répondu de ne plus rien me dire, qu'il m'énervait déjà suffisamment. Il a rajouté : « Toi aussi, tu m'énerves. » Et j'ai répondu : « J'aimerais pouvoir te lancer à l'eau ou te tuer. » Ouf !

Plus tard, il m'a demandé pourquoi il m'énervait, puisque lui, il n'avait fait que surenchérir à mes propos. Bébé va ! Je n'avais pas envie de m'expliquer, alors, j'ai terminé la discussion en disant que je devais être de mauvaise humeur et que mes paroles avaient dépassé ma pensée.

18 février 1993

Hier, je suis allée au cinéma avec Randy, le jeune Américain du petit voilier *Iphigenia*. Je me suis décidée à lui avouer que j'aimerais discuter plus longuement avec lui. Plus tard, alors que je faisais de la chimie, ou plutôt que j'essayais d'en faire, il est venu. On a parlé tout l'après-midi, puis il devait sortir avec son amie professeur d'espagnol. On a décidé d'aller au cinéma tous les trois, mais elle n'est pas venue. Il était bien déçu d'apprendre que j'ai 16 ans. Il aurait aimé m'avoir comme équipière. Sa copine costaricaine est partie, il y a trois semaines. Ses phrases sont pleines de regrets sur mon âge. Il ne voit pas que je brûle d'envie d'être embrassée. Trop respectueux ! Il étudie la littérature à l'université, il habite en Californie, il aime la musique, possède un saxophone alto, et veut que je lui apprenne. En revenant du cinéma, je ne ressentais rien, mais aujourd'hui... Et je ne l'ai presque pas vu : il allait faire de la voile sur un bateau de course. Il participe à une compétition samedi. J'ai passé la journée à me morfondre sur le voilier dans l'espoir de le voir apparaître. J'ai l'estomac noué et le cœur qui bat la chamade.

19 février 1993

La jeune Hollandaise rencontrée à Bonaire est arrivée hier. J'ai discuté avec elle et je lui ai présenté Randy. Il voudrait bien que je reste deux semaines de plus, mais nous allons quitter la Colombie dans quelques jours.

25 février 1993

Je suis tellement mal. J'essaie d'étouffer ce malaise informe, mais je ne sais plus comment m'en débarrasser complètement. Toujours cette sourde angoisse qui empoisonne tout mon être dès que j'ai le malheur de réfléchir. Je dois alors parler, étudier, nager, faire n'importe quoi au lieu de rester seule avec moi-même. La vie sera longue si je ne réussis pas à me libérer de cette emprise. Le vent hurle. Il a fallu mouiller deux ancres. Et puis... je suis amoureuse, bon !

27 février 1993

J'ai le cœur brisé. Hier soir, je suis allée faire mes adieux à Randy. Il m'a enfin embrassée et m'a serré très fort dans ses bras. J'étais si bien. Il ne me reste plus qu'à oublier cet épisode charmant et éphémère.

Après avoir quitté Aruba, direction Colombie, Michel baisse le pavillon hollandais.

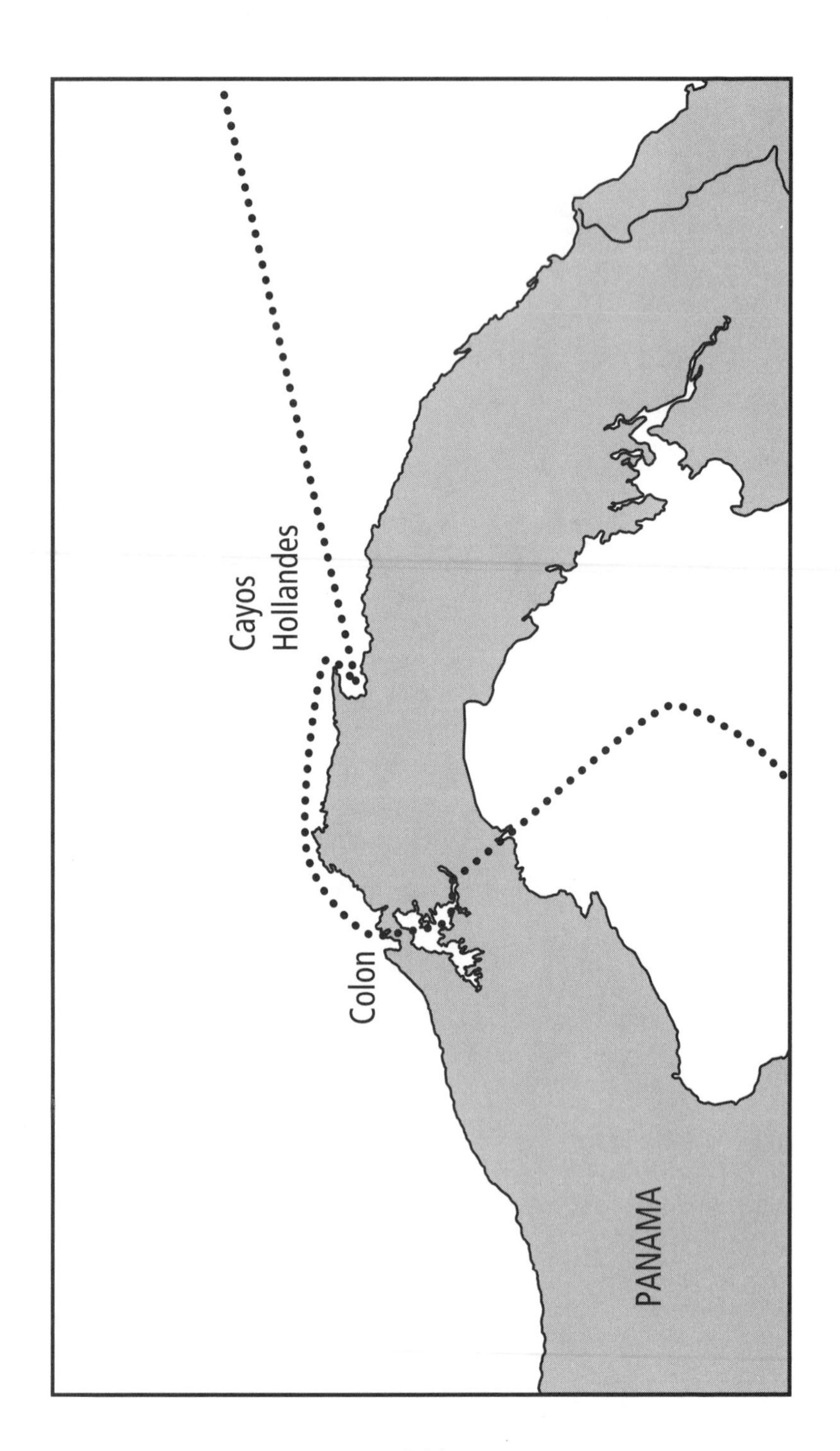
Cayos
Hollandes
Colon
PANAMA

Onzième chapitre

San Blas

1er mars 1993

Nous sommes au paradis !

Eh oui, le plus bel endroit jamais vu depuis notre départ. Ces îles de San Blas forment l'association la plus exquise qui soit, de la mer, du sable et des palmiers, éléments dont nous ne sommes finalement pas si dégoûtés, après presque deux ans. Au moment de notre arrivée hier, sous un ciel noir d'où filtrait une lumière irréelle de lever de soleil qui semblait provenir des îles elles-mêmes, après 48 heures de mer difficile, nous étions découragés d'entreprendre 40 jours de navigation dans le Pacifique. Nous avons eu la visite d'Indiens, des femmes et des enfants, en pirogues. Ils venaient offrir leur *molas*, jolis tissus cousus et brodés à la main. Superbe !

En soirée, nous avons reçu la visite d'un jeune homme accompagné de son petit frère. Ils ne voulaient plus repartir. Mon père devait aller chasser la langouste avec lui aujourd'hui, mais nous sommes très fatigués.

Antoine (« Ma mère m'a dit, Antoine, fais-toi couper les cheveux ») est venu lui aussi nous visiter. Il était arrivé hier soir avec son catamaran jaune. Il est en route vers

Tahiti. Il n'arrête pas de courir d'un voilier à l'autre. On dirait qu'il cherche de la compagnie.

Aujourd'hui, j'ai passé trois heures sur l'une des îles avec Baloo. Ah ! Courir sur le sable chaud ! Je n'ai pu résister à l'envie de briser un coco pour le boire, même si c'est interdit. C'est le seul revenu des Indiens cunas. Il m'a fallu une heure d'acharnement intense pour briser la gaine de fibres à coups de dents et de galet, mais c'était le meilleur coco jamais savouré : un litre d'eau et une chair abondante et succulente. En après-midi, nous sommes allés chasser. Il y avait trois langoustes sous l'annexe. Mon père était déchaîné ; encore un peu et il déracinait le corail. On a bien ri. Un voilier italien qui avait chassé trop de poissons nous en a apporté deux gros. Quelle idée de capturer plus que nécessaire ! On a cuit les poissons sur une claie de bambous posée sur le sable. L'extase !

Les Indiens cunas sont très beaux, femmes, hommes et enfants, avec des dents si blanches, mais blanches... Demain, nous irons au village. Il n'y a que quelques familles qui viennent en alternance, un mois chacune, en provenance d'îles plus peuplées. Ce ne sont jamais les mêmes. Elles font la cueillette du coco et pêchent aussi les poulpes et les pieuvres. L'eau est belle, le sable doux, les cocotiers élégants, et tout est fabuleux. Le mouillage est très calme ; nous sommes derrière une barrière de récifs.

Quelques heures plus tard

Je suis en plein état d'exaltation. Nous fabulons en nous disant que les Cunas nous autoriseraient peut-être à nous installer sur une île. Mes parents s'arrêteraient ici, mais ils me laisseraient libre de voyager sur d'autres voiliers et je pourrais revenir n'importe quand. Libre à 16 ans. Je pourrais étudier quelques années ou je ne sais trop. Même vivre ici et m'intégrer totalement, apprendre la langue, l'artisanat, la cuisine. « Je crois rêver », comme dit Mme Brossard, un personnage du groupe RBO.

2 mars 1993

Plage avec Baloo et encore une visite d'Antoine. J'ai nagé longtemps avec mon masque dans l'eau chaude et peu profonde. Tout était miniature : les langoustes, les coraux, les poissons. La vie sous-marine est sublime et, en plus, colorée comme je ne l'avais jamais vue. Visite de six jeunes Indiennes de deux à douze ans. Elles voulaient

Les San Blas, territoire des Indiens cunas.

montrer leurs tissus. Elles sont reparties après avoir pris un goûter et fait une visite du voilier. Les petites sont mignonnes comme des poupées.

4 mars 1993

Visite au village. Nous avons reçu des bananes et autres fruits dont j'ignore le nom. Une petite m'a prise par la main pour me conduire devant chez elle où la maman m'a mis un collier dans le cou. J'ai presque eu à me mettre à genoux : les femmes sont minuscules. J'étais très touchée. On a regardé un Indien qui tressait le nom de *L'Échappée Belle* en lanières de bambou, puis nous avons discuté avec un vieux qui est, en quelque sorte, le gardien des traditions de l'île. Les huttes sont jolies. Les murs sont faits avec des demi-bambous verticaux et les toits avec des rames de feuilles de cocotiers. Les lits sont des hamacs. La petite au collier et sa sœur jumelle sont ravissantes. Elles jouent avec mes cheveux, si différents des leurs. Les chiens, chats, poules et poussins, tous bien dodus, sont les jouets des enfants. Les femmes portent le costume traditionnel avec des bracelets aux jambes et aux bras, très larges et faits de perles colorées. Leurs joues sont fardées de rouge et elles portent un anneau dans le nez.

5 mars 1993

Les voiliers n'en finissent plus d'arriver. Nouvelle visite au village. Nous échangerons le nom de notre voilier en vannerie contre des teintures. Ma mère a cuisiné des biscuits pour tous et nous avons donné une profusion de papier et de crayons. Nous voulions les remettre à la maman qui m'a donné le collier, car elle semblait s'occuper de tout. Elle était absente, alors le vieux s'est chargé des cadeaux. J'ai donné, moi aussi, un collier à la petite. Trois jeunes filles de 14, 16 et 22 ans sont venues nous montrer leur artisanat. Les costumes traditionnels étaient fabuleux. Antoine est venu manger avec nous.

6 mars 1993

Journée de paresse physique. Chimie et écriture. Exploration d'une nouvelle île en famille. Mon père a eu droit à une grosse surprise en pêchant aujourd'hui. Il a soudain sorti de l'eau une moitié de poisson gigotante, qu'un barracuda venait de croquer au vol. On l'a vu nager à la surface. Mon père a utilisé la seconde moitié du poisson comme appât, mais le rusé voleur avalait le tout et recrachait en sentant l'hameçon. Ses dents sont certainement bien aiguisées pour faire un travail aussi parfait d'un coup. J'ai lu *L'amour au temps du choléra* de Gabriel Garcia

Mon père prépare le repas de poissons.

Marquez. Quel enchantement ! Peut-être que la vieillesse me fera moins peur maintenant. Après tout, rien n'est jamais fini avant qu'on soit cloué entre quatre planches.

7 mars 1993

Balade avec les trois sœurs qui ne sont pas vraiment sœurs. Il n'y a rien à comprendre. Elles portaient chacune leur tour le petit German, bébé de la plus vieille. Elles m'ont fait connaître un nouveau fruit tout jaune avec une chaire rosée et mi-sucrée. J'ai passé l'après-midi avec elles sur le voilier à apprendre des mots en cuna. Souper de poissons cuits sur une claie de bambou avec, au-dessus de nos têtes, la belle lune ronde et rousse qui nous caressait de ses doux rayons.

11 mars 1993

Ma copine hollandaise est arrivée hier. Je suis allée à bord de son voilier pour regarder un livre sur son pays. Mes parents et moi avons trouvé trois grosses conques et les avons préparées en sauce. Je n'ai pas adoré le résultat. Il faudra apprendre à les retirer de la coquille sans tout démolir. Les Indiens ne font qu'une petite ouverture et réussissent à retirer la bête sans briser le coquillage. Il faut voir les milliers de fragments qui jonchent le sol après nos piètres essais.

12 mars 1992

Navigation de rêve : quatre à cinq nœuds, vent de travers sur un lac suisse. Je barrais en dansant sur la musique de Roy Orbison, pendant que mes parents dormaient ou lisaient à l'intérieur. Trente-sept kilomètres, ce n'est pas long.

13 mars 1993

Visite de deux îles sur lesquelles sont construits des villages aux ruelles inextricables et bondées, mais tellement propres. Un sympathique Cuna nous a accompagnés toute la journée. Comme il parlait bien espagnol, on a beaucoup appris sur le mode de vie et les coutumes. Il y a la télévision, c'est décevant. Les rues sont éclairées, mais cela ne gâche rien à l'exotisme ; à l'intérieur, les gens utilisent des bougies. Les pirogues vont et viennent constamment, chargées à bloc de bois, d'eau douce et de fruits. Les rameurs travaillent dur avec leurs pagaies pour aller du continent à leur île afin d'apporter tout ce qu'il faut pour vivre. Plusieurs pirogues possèdent aussi des moteurs, mais celles à voiles sont magnifiques. Nous avons soupé au petit restaurant du village.

14 mars 1993

Partis pour une balade de 11 kilomètres devant nous conduire à une île toute proche, nous nous sommes retrouvés dans une situation affreuse : une mer déchaînée avec un vent terrible qui a fait exploser la grand-voile. C'était impossible de prendre la passe[59] pour aller mouiller près de l'île, à l'intérieur de la barrière de corail. Les vagues étaient immenses et, dans les creux, on voyait le sable. J'ai presque paniqué parce que mes parents voulaient essayer d'y aller quand même. J'étais convaincue que l'on perdrait le voilier. Finalement, nous avons fait demi-tour pour nous rendre à une autre île dont la passe était sous le vent. Horrible ! Dans cette mer démontée, nous avons croisé de minuscules pirogues à voile et à moteur. Nous avons quand même éclaté de rire en voyant cinq pirogues chargées de touristes provenant d'un bateau de croisière. Ils étaient figés de froid et de peur, à moitié nus, enroulés dans leurs serviettes de plage. Ils n'avaient même pas de gilets de sauvetage.

Nous sommes devant la seule île touristique du pays des Cunas. C'est désolant de voir ces Indiens en pirogues, se pressant autour d'un transatlantique pour vendre leur *molas* !

Quelle journée ! Nous sommes dégoûtés de la voile. Sommeil de plomb tout l'après-midi, épuisés de froid et de stress.

15 mars 1993

Nous devrons peut-être retourner à Cartagena pour faire fabriquer une nouvelle grand-voile. Ça secoue, une annonce comme celle-là. Autre événement bouleversant : un ouragan a détruit Cuba (700 blessés) et est passé ensuite sur Panama en y laissant 200 sans-abri. C'est ce qui explique le mauvais temps que nous avons essuyé hier. À la station Radio-Canada International, on parlait de « tempête du siècle » en mentionnant des dégâts jusqu'en Floride où les vagues atteignaient neuf mètres, des morts et des tornades au sud, de la neige au nord et le naufrage d'un navire au large de Terre-Neuve, dans des vagues de 13 mètres. On parle de 33 marins disparus. Je tremble pour eux. Quelle mort atroce dans des vagues monstrueuses ! Pourtant, le mauvais temps avait été prévu et la plupart des bateaux étaient restés au port. Plusieurs bateaux de pêche ont coulé dans le golfe du Mexique. Que de morts ! La mer est un monstre. J'en ai des frissons.

Les cours de pirogues à Taravao, Tahiti.

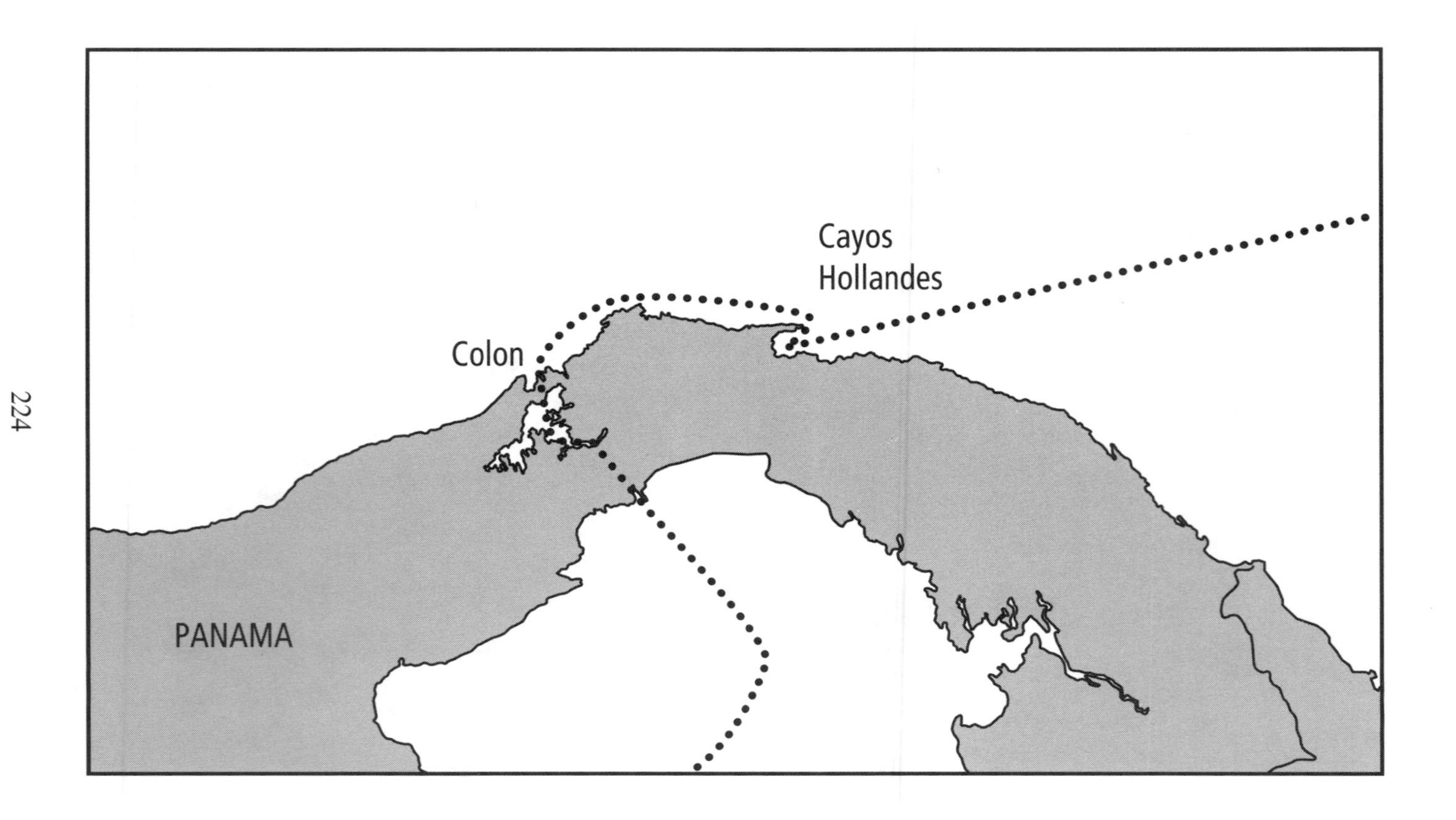
Cayos
Hollandes
Colon
PANAMA

Douzième chapitre

Panama

21 mars 1993

Nous sommes arrivés à Porto Bello au coucher du soleil, après une belle journée de voile. Nous avions quitté Chichime ce matin. Cette baie protégée est fabuleusement belle avec ses vallées verdoyantes et ses montagnes à la végétation luxuriante. Il n'y a que quelques maisons et des ruines de cette célèbre ville coloniale difficile à faire revivre en imagination. Où sont ces lieux insalubres dans lesquels on mourait de maladies tropicales provenant de la jungle ou de bateaux étrangers, quand on ne périssait pas empoisonné par les eaux putrides ?

Il y a quatre voiliers hollandais, dont celui de ma copine. La côte panaméenne est couverte d'une flore abondante et les rangées de montagnes qui se découpent à perte de vue avec la jungle en avant-plan sont d'une beauté magique ; magie amplifiée par l'évaporation permanente de l'eau, dans cette région très humide. Le brouillard toujours présent donne une impression d'irréalité au paysage. Ces vertes collines me font rêver à des promenades d'exploration, en espérant que les moustiques ne pullulent pas trop.

22 mars 1993

Nous sommes allés en autobus à Colon. Quel périple ! La ville est une ruine totale, grise et triste. Dans le courrier du Québec, je n'ai reçu qu'une lettre de ma copine Annabelle. Terminée la correspondance. Au retour, mon père a défié la mafia locale en utilisant les bancs qui lui sont réservés.

24 mars 1993

Petite navigation de 37 kilomètres. Nous sommes à l'entrée du canal. Le voilier *Rapunzel* est là. Il appartient à une famille brésilienne que nous avons connue à Saint-Martin. Il y a une fille de 23 ans à bord qui s'appelle Clarissa. Je n'ai pas pu lui parler, car elle et son frère sont partis aider d'autres voiliers pour la traversée du canal.

25 mars 1993

Dernière promenade avec Baloo. Mes parents ont trouvé un vétérinaire. Mon cœur est volontairement insensible. On ne peut l'amener avec nous aux Marquises. On nous a dit qu'aucun chien étranger n'est accepté dans les îles, pas plus qu'en Nouvelle-Zélande ou en Australie. En plus, il continue à perdre ses poils dans la région du cou et cette maladie de peau dégage une odeur pestilentielle.

26 mars 1993

Le vétérinaire est venu avec sa femme et son fils. Il est sympathique. Nous avons longtemps discuté et il ne veut pas l'euthanasier. Il le mettra en quarantaine chez lui et il essaiera de lui trouver une famille. Il nous promet de le piquer, s'il est trop malheureux. Petit Baloo est parti en auto avec sa balle et son collier rouge, nous regardant par la fenêtre, de ses grands yeux noisette. Que fait-il dans sa cage, ce soir ?

27 mars 1993

Ma copine Nancy, du voilier hollandais, traversait le canal aujourd'hui. Mes parents et moi sommes allés en taxi dans la zone libre. C'est un véritable ghetto de la consommation !

Nous avons discuté de nos projets. Au lieu de traverser le Pacifique, pourquoi ne pas acheter une voiture usagée et partir au Brésil en passant par le Venezuela. Je pourrais attendre Randy, le Californien rencontré en Colombie, pour traverser. J'en ai tellement envie, mais je suis certaine que cela ne se fera pas.

28 mars 1993

Promenade en ville avec ma mère. Tout est fermé. Nous avons vu les bas-fonds, les bidonvilles. C'est affreux, sale et désolant, mais les dangers dont on nous avait parlé (vols...) sont une invention des équipages craintifs.

29 mars 1993

Baloo va bien. Il mange. Mes parents sont allés lui porter ses jeux, ses gamelles et un dictionnaire des mots qu'il connaît avec la traduction en espagnol. C'est pour ses nouveaux maîtres. Nous avons aussi écrit la prononciation française.

30 mars 1993

Je n'en peux plus, je vais craquer. « Fais ceci, ne fais pas cela, tu es toujours dans la lune... » Je ne comprends plus ce qu'ils me reprochent. Je voudrais juste me faire oublier, disparaître. Je vis dans ma tête.

1er avril 1993

Clarissa, ma mère et moi avons aidé l'équipage du *Wrangler*, un voilier britannique, à traverser. Les trois premières écluses ont été franchies sans problème. Nous avons mouillé au lac d'eau douce pour la nuit. Le danger de la traversée du canal vient du fait que le mélange de l'eau douce et de l'eau salée, ainsi que les hélices gigantesques des transatlantiques qui franchissent les écluses en même temps que les petits voiliers, créent des tourbillons violents. Les bateaux comme le nôtre qui sont souvent attachés côte à côte peuvent alors se briser les uns contre les autres ou sur les murs en béton des écluses. Bien sûr, les coques en fibre de verre sont encore plus vulnérables, car elles sont plus fragiles que celles en acier ou en aluminium.

2 avril 1993

À la dernière écluse, tout a mal tourné. Un éclusier est tombé dans le canal et le *Wrangler* a heurté le mur. Il y a eu des bris sur la coque et la poupe.

3 avril 1993

Je suis retournée dans la zone libre avec Clarissa. Au retour, un jeune a tenté de me voler. Nous marchions en bavardant et j'ai senti que quelqu'un tirait sur mon sac. Sans réfléchir, j'ai hurlé un « non » féroce en tirant dans l'autre sens et le voleur s'est sauvé, effrayé par le regard des passants que mon cri avait intrigués. Ouf ! Mon passeport était à l'intérieur de ce sac.

5 avril 1993

J'ai participé à la traversée d'un autre voilier. Rien à signaler.

8 avril 1993

Autre traversée : le *Wado Ryu*, un voilier allemand. Pas de problème. C'est chouette, car chaque traversée donne 50 $ US.

10 avril 1993

Je suis malade (grippe) et ma mère a une crise de foie.

Nous dirigerons-nous vers le Brésil ou vers la Polynésie ? À quelques jours du départ, mes parents demeurent vagues. Espérons qu'ils auront décidé quand nous lèverons l'ancre.

11 avril 1993

Derniers achats. Demain, on traverse.

13 avril 1993

Les trois premières écluses sont franchies. Nous étions attachés à un puissant bateau de plaisance à moteur, alors pas de danger de dévier de la trajectoire.

14 avril 1993

Pour les trois dernières écluses, nous étions attachés à deux autres voiliers. Il y avait une pluie diluvienne et des grains inquiétants, mais aucun incident regrettable n'est survenu. C'est quand même impressionnant de côtoyer des bateaux de plusieurs centaines de mètres. On se sent minuscule.

Bonjour, Pacifique !

16 avril 1993

Nous avons jeté l'ancre à l'île Taboga. Nous étions

nerveux en quittant le yacht club de Balboa, car notre visa était expiré, alors nous n'avions plus le droit d'être là.

17 avril 1993

Calme plat ! Soixante-cinq kilomètres à moteur. Beau début dans le Pacifique ! L'eau est dégoûtante : huile, poissons morts, plastiques divers. J'ai vu quelques requins et des bancs de dauphins, en plus de deux autres créatures non identifiées. Nous mouillerons aux Perlas.

19 avril 1993

Aujourd'hui, nous avons brossé la coque. C'est le dernier nettoyage avant la traversée. Mes parents sont partis sur un autre voilier pour calquer la carte de l'île Coco. Ils ont appris que plusieurs voiliers sont encalminés[60] entre Panama et les Galapagos. C'est de mauvais augure !

20 avril 1993

Nous sommes à l'île San José. Un couple d'Allemands vit ici. Ils ont un grand verger dont les arbres donnent des fruits étranges. Nous avons acheté des oranges-citrons et des pamplemousses-oranges. Ma mère a un étrange mal de ventre. J'espère que nous n'aurons pas à faire demitour.

21 avril 1993

Corvée d'eau exténuante avec mon père pendant que ma mère cousait un taud pour la traversée. Il fallait ramer deux kilomètres, puis transporter l'annexe sur plusieurs centaines de mètres de sable, ramer dans le calme fabuleux de la rivière sous une végétation écrasante et silencieuse, marcher avec les bidons pour les remplir, les ramener, et refaire le chemin inverse. Une vague nous a renversés au moment où nous voulions repartir. Nous avons remonté les bidons pleins au-dessus de la ligne de marée et, dans l'après-midi, nous sommes revenus les chercher. Mon père maintenait l'annexe au large et j'apportais les bidons jusqu'à lui. J'avais de l'eau jusqu'aux épaules et la frousse de me faire renverser par les vagues. Ouf ! 150 litres bien mérités !

22 avril 1993

Triage des fruits et des légumes afin de retirer ceux qui sont mûrs. Travaux de dernière minute, lavage à la rivière. Le vent s'est levé, espérons qu'il tiendra. Demain : DÉPART ! ! ! À MOI LE PACIFIQUE !

Je viens de réaliser que nous allons vraiment traverser un océan. Je ne me rappelle même plus quand nous avons pris cette décision. J'ai l'impression de me retrouver ici par hasard, portée par les événements. C'est étrange, car je n'ai pas peur et je ne pense même pas aux incidents qui peuvent survenir. On va peut-être mourir dans une tempête. Après tout, chaque année des voiliers disparaissent. Je ne peux pas dire que ce genre de pensées me hante. Jusqu'ici rien de grave n'est arrivé, alors pourquoi ça changerait ? J'ai même plutôt hâte de voir comment on se sent au milieu de l'océan, à des centaines de kilomètres de la terre... Je crois que les familles de mes parents seront bien soulagées quand nous téléphonerons des Marquises pour dire que nous sommes sains et saufs. Elles sont bien plus inquiètes que mes parents et moi, je pense.

Bon, je dois aller dormir. Ce n'est pas une petite traversée de rien qui m'en empêchera... Ha ! Ha !

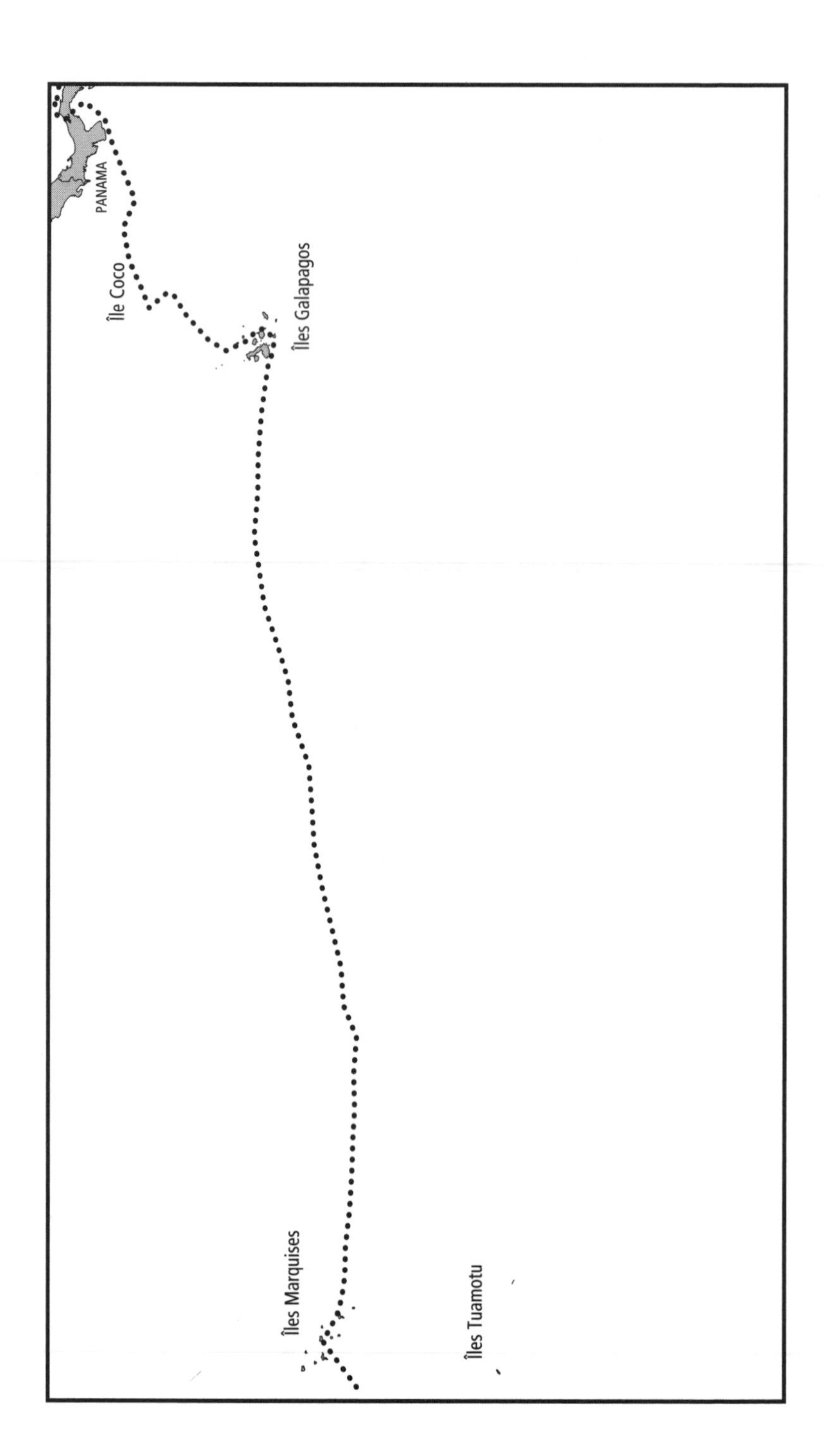
PANAMA
Île Coco
Îles Galapagos
Îles Marquises
Îles Tuamotu

Treizième chapitre

Le Pacifique

23 avril 1993

Nous sommes partis un vendredi, sans superstition... Allions-nous devenir superstitieux ? Les gens de mer voient en général le vendredi comme un jour qui porte malheur à un départ. Les trois premières heures se sont déroulées en manœuvres (hisser et affaler les voiles, poser et enlever le tangon...) avec un gros coup de vent et un orage diluvien en prime, qui nous ont apporté un calme plat et... la visite de dauphins. Mais peu à peu, des rides sont apparues sur l'eau et la brise tant attendue est arrivée. La vitesse, avec le petit génois et un ris, s'est maintenue à huit nœuds pendant une grande partie de la nuit. Le vent a augmenté et nous a obligés à changer le petit génois pour le foc. Nous avons pris un second ris pour plus de sécurité, vers 1 h, par une nuit sans lune mais sur une mer calme. Et la vitesse est restée la même. Incroyable !

J'oubliais : à l'heure du souper, un étrange phénomène nous a causé beaucoup d'angoisse. Des zones d'océan, lisses comme un miroir, alternaient avec d'autres où des vaguelettes se formaient dans tous les sens, comme de l'eau qui bout. De minuscules déferlantes agrémentaient le tout. Bizarre ! Tout cela a duré environ 15 minutes. Mon premier quart, de 20 h à minuit, n'a pas été trop difficile, car les lumières des bateaux que nous avons croi-

Les manœuvres.

sés m'ont tenue éveillée, par crainte d'une collision. D'ailleurs, une anecdote peu commune s'est déroulée au changement de quart entre mes parents, à 4 h. Inquiétée par les feux de position d'un cargo, ma mère a appelé mon père qui lui a dit de ne pas s'en faire. Pourtant, elle n'était pas rassurée, car notre feu rouge était vis-à-vis du feu vert du cargo, ce qui signifie que deux bateaux sont bien alignés pour faire un face à face. Elle lui a demandé de revenir. Il a répondu que tout allait bien, car le bateau allait vers le large. Il a allumé une cigarette, mais comme ma mère commençait à entendre le bruit de son moteur, il lui a dit de démarrer le nôtre. Pendant le préchauffage, ils ont réalisé l'ampleur du danger. On se dirigeait directement vers le côté bâbord du gigantesque navire. Tuff ! Tuff ! le moteur ne démarrait toujours pas. Pas étonnant, la batterie de démarrage était coupée. Ma mère s'est précipitée pour mettre le contact et mon père a hurlé : « Marie, on rentre dedans ! » Au moment où ma mère démarrait, mon père a fait marche arrière à plein régime, et je suis sortie du carré en entendant les cris, pour apercevoir ce mur d'acier à 25 mètres de la proue. Mon cœur s'est arrêté, je suis devenue blanche. Le cargo avait brusquement changé de cap pour se diriger vers Panama, nous coupant la route et le vent de sorte que nous n'aurions rien pu faire pour éviter la collision avec nos seules voiles. Quinze longues secondes se sont écoulées pendant lesquelles se déroulaient dans mon esprit les histoires de voiliers aspirés par l'hélice de transatlantiques qu'ils avaient heurtés et celles d'équipages disparus sans que le capitaine du gros navire se soit aperçu qu'il était entré en collision avec un voilier... Ouf !

Le monstre s'est éloigné dans la nuit, nous laissant

figés d'effroi à la pensée que notre vie n'avait tenu qu'à un fil : mon père avait fait marche arrière simplement parce que la marche avant n'embraye jamais du premier coup. S'il avait fait marche avant, il y aurait eu collision, car nous étions déjà trop près du cargo pour faire demi-tour. Vendredi ? Non, je ne serai pas superstitieuse pour autant, mais plus prudente avec ces gros trucs qui flottent sur l'eau. Encore un réveil brusque pour moi, aussi agréable que le « On coule » de Great Inagua. C'est quand même fou de vivre une histoire pareille alors que l'océan est si vaste.

24 avril 1993

À l'aube, le vent est tombé progressivement. Nous

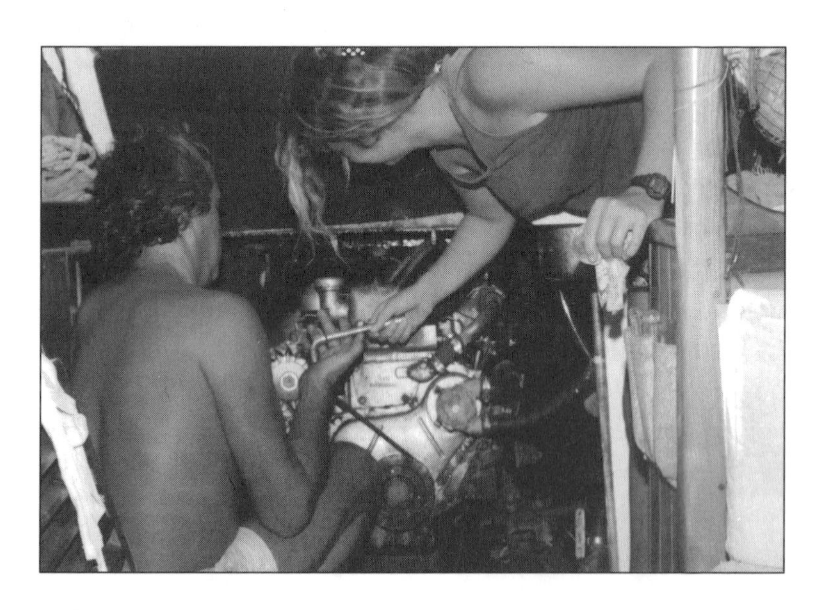

Un cours de mécanique diesel pendant la traversée.

dérivions depuis ce matin. Maintenant, nous avançons un peu. Nous croisons beaucoup de transatlantiques : c'est la route du sud au nord, de l'est à l'ouest et vice versa. Je crains la nuit qui vient ! Il est 15 h 45. Le vent ne semble pas vouloir se réveiller. Il fait chaud, je vais me doucher à l'eau salée. Quelle chance d'avoir ce nouveau taud pour la navigation. Mon père a réussi à ajuster la transmission en marche avant. Qui sait si cette nuit, elle ne nous sauvera pas... Pendant mon quart, nous avons fait deux heures à moteur, espérant avoir du vent une fois passée la grande pointe de Panama, mais sans succès. C'est ennuyeux de voir cette grosse bande de terre qui ne disparaît pas de notre vue.

25 avril 1993

Le vent s'est levé au coucher du soleil et mon quart a été fabuleux. Une mer comme un lac et une douce brise... J'ai écouté Brahms et Brel, ce qui ne gâte rien. J'aime écouter de la musique en barrant. Je m'imagine dirigeant les astres et la mer dans une symphonie de l'immensité. Un gros navire m'a inquiétée, mais il a changé de route et tous ceux qui ont suivi allaient dans la même direction ; je n'avais pas de souci à me faire. Malheureusement, le vent est tombé dès le début du quart de mon père et mes parents ont changé les voiles, ce qui m'a tenue éveillée. Le calme plat s'est maintenu jusqu'à 14 h 30. Nous avions la proue dans la bonne direction, mais nous dérivions. Depuis le lever du vent, nous faisons du près avec le foc et la grand-voile. Le cap n'est pas le bon. Nous devons tirer des bords. La nuit s'annonce douce. C'est mon quart dans une heure... C'est long une journée sans vent ! J'ai même cuisiné un gâteau aux bananes.

26 avril 1993

Dès le début de mon quart, vers 20 h, des masses de nuages noirs ont bouché l'horizon. Des centaines d'éclairs zébraient le ciel. J'avais peur que nous soyons électrocutés. Pendant le quart de mon père, le vent a soufflé plus fort et nous sommes restées éveillées avec lui. Nous avons pris un second ris sur la grand-voile après l'avoir affalée et avoir tourné en rond pendant une heure. Au cours du quart de ma mère, nous avons culé de neuf kilomètres : de mieux en mieux... Nous étions sans voile, à la dérive. Durant mon quart de ce matin, le ciel s'est assombri de toutes parts et nous avons essuyé plusieurs grains provenant des quatre points cardinaux et un déluge... mais un déluge... Ma couchette était inondée, même si l'annexe est

Les études à bord.

retournée par-dessus mon écoutille. Mystère ! On a fait le plein d'eau douce avec toute cette pluie. Après avoir barré deux heures, je suis allée me sécher et mettre un imperméable, mais l'eau pénétrait quand même et je grelottais. Nous étions trois poules mouillées dans le cockpit, toute la matinée. Personne ne voulait se mettre à l'abri. Nous n'avancions pas, ayant affalé le foc.

La houle fait toujours faseyer les voiles et claquer la bôme. Le vent est trop faible. Le ciel est nuageux, mais soyons optimistes. La nuit dernière, mon père voulait faire demi-tour. Mais ma mère et moi désirons continuer. Nous avons eu la visite de petits et de gros oiseaux. Ce sera bientôt mon quart de nuit, espérons qu'il ne pleuvra pas.

27 avril 1993

Environ une heure après le début de mon quart... Youppi ! Bon quart. J'ai fait une partie du quart de mon père et je suis allée dormir. Deux heures plus tard, les voiles se sont mises à faseyer et nous avons commencé une période très pénible, sans voiles dans une grosse houle. Tout le gréement voulait arracher. C'est très dur pour les nerfs de se faire ballotter constamment en entendant le bruit de la bôme et de tout ce qui se déplace dans le voilier. Vers 6 h 30, ma mère était de quart, elle a hissé les voiles, mais à 8 h, ça faseyait de nouveau et on a hissé un génois. Des masses grises sont apparues, on a affalé le génois et démarré le moteur pour charger les batteries. Une heure plus tard, il ne s'était rien produit, on a hissé de nouveau le génois. Puis, ce fut la pluie, très longtemps, sans vent. On a dérivé avec grand-voile seulement. Après la pluie, on a hissé le génois, qu'on a changé pour un foc sous tangon, puis nous avons remplacé le foc par le génois, toujours avec tangon. Le cap est trop sud, mais bon, on avance. Si le vent pouvait tenir ! Mon quart est dans 15 minutes. La mer était plus forte aujourd'hui ; plus forte que ce que nous avait révélé le Pacifique jusqu'à maintenant. Le ciel est nuageux de tous les côtés. C'est de mauvais augure. S'il vous plaît, un peu de bon temps !

On devient habiles aux manœuvres, ma mère et moi. Souvent, nos méthodes sont peu conformes aux Glénans, mais ça va comme sur des roulettes. Si certains se demandent ce que l'on fait pendant une traversée : des manœuvres. Je ne sais pas si tous les équipages sont aussi déchaînés que nous, mais on fait vraiment tout ce qui est en notre pouvoir pour avancer.

28 avril 1993

Belle nuit sans changement de voilure ni pluie. Journée de manœuvres ! Je ne saurais faire la liste de tous les changements effectués pour prendre un peu de vitesse. Nous n'avons pas arrêté de toute la journée : affaler à cause de la pluie sans vent, installer le tangon car le vent a tourné, enlever le tangon pour la même raison, mettre les voiles en ciseaux, les replacer pour un vent de travers, prendre un ris, le larguer. À chaque nouvelle manœuvre, il faut enlever le petit taud de navigation que nous avons fabriqué, détacher la bôme, la rattacher avec notre système de retenue maison. Bref, c'est la folie furieuse. C'est vrai que ma mère était impossible à calmer sur terre, alors là, prisonnière sur 12 mètres de coque sans autre activité que de changer des voiles, elle s'en donne à cœur joie. Et mon père et moi, condamnés à partager le même espace vital, nous sommes emportés par ce tourbillon frénétique. Je rigole bien sûr mais... il y a un peu de vérité là-dedans.

Quand ce n'est pas sur les voiles, elle se défoule sur la cuisine, nous gavant comme des oies. Comme par hasard, elle a l'air d'un squelette recouvert de peau alors que mon père et moi sommes... bien protégés du froid. Serait-ce un plan diabolique pour nous utiliser ultérieurement comme appât pour les requins ?

Le ciel semble beau. La chance tournerait-elle ? Je parle de manœuvres, mais le moral est bon. Pas le temps de s'ennuyer et je dors bien. L'île Coco approche : plus que 310 kilomètres. Mon père a modifié le système de retenue de bôme pour nous simplifier la vie et, d'après une idée à moi, il a fabriqué une toile qui se fixe par-dessus l'entrée, là où nous avions des déluges à chaque orage. La toile épouse la forme du pont et est fixée par des attaches ; elle ne peut s'envoler. Quelles améliorations !

29 avril 1993

Belle nuit avec bon vent. Mon père m'a surprise assoupie à la fin de mon quart. Vilaine ! Le vent a faibli souvent dans la journée, mais ce n'est pas si mal. Ce matin, des centaines de dauphins ont défilé pendant plus d'une heure. Extraordinaire ! Il semble que cette espèce ne fait des cabrioles que pour les bateaux ! Un beau couple d'oiseaux marins a élu domicile sur le bout-dehors. C'est certainement pour la nuit.

30 avril 1993

Le vent est presque tombé pendant mon quart, nous obligeant à affaler la grand-voile et le génois, ce qui a précipité un des oiseaux à l'eau. Il était en colère. L'autre n'a pas voulu bouger. J'ai pu lui toucher. Ce matin, vague d'optimisme. Le vent tient, le génois et la grand-voile restent gonflés. Nous étions persuadés d'arriver dans la nuit, et de mouiller au clair de lune, mais dans l'après-midi, le vent est tombé. Espérons qu'il reviendra. Il reste seulement 74 kilomètres et j'ai aperçu la terre la première, après le repas.

1er mai 1993

Le vent est tombé. Je l'avais prédit. Nous dérivions trop, alors nous avons utilisé le moteur toute la nuit. Quelle horreur ! Nous sommes arrivés à l'aube. Dodo puis visite des douaniers. Nous avons payé pour trois jours de mouillage. C'est affreusement cher. D'autres voiliers sont arrivés. Les chutes sont à une heure trente de marche, mais il y a des cascades fabuleuses devant le voilier. Le bonheur total. Il y a des quantités énormes de lianes et des arbres croulant sous la végétation.

2 mai 1993

Nous avons fait une excursion fantastique, ma mère et moi, pendant que mon père gravait le nom de notre voilier sur un rocher. Il y a des centaines d'inscriptions, dont certaines datent de 1800. Nous avons grimpé pendant des heures, essayant d'atteindre le sommet de la cascade. À chaque détour, nous pensions être enfin arrivées, mais une nouvelle montée se dessinait. Nous avons escaladé des roches rondes et moussues, marché dans des rivières avec de l'eau jusqu'à la taille, nous nous sommes frayé un chemin dans une végétation inextricable et étrange, mais le sommet est resté inaccessible. Nous avons rebroussé chemin pour ne pas que mon père s'inquiète, mais j'étais vexée comme un pou par cet échec...

3 mai 1993

Remplissage quelque peu original des bidons d'eau douce. Il faut un entonnoir, un tuyau d'arrosage, un carré de tissu pour filtrer l'eau, une cascade et c'est un jeu d'enfant.

Nous avons lavé les tapis sur des pierres plates de la cascade. La scène aurait mérité une photo. Ensuite, j'ai brossé la coque avant d'entreprendre la prochaine longue navigation. Finalement, je suis retournée, seule, goûter quelques instants de bonheur parfait, assise sous mes cascades.

5 mai 1993

J'ai adoré l'île Coco, malgré les douaniers un peu trop zélés. J'y aurais habité plusieurs mois.

6 mai 1993

Nous nous sommes mis à cape et avons laissé dériver le voilier pendant que nous dormions bien tranquillement. Nous n'avons pas culé. C'est bien. Mauvaise journée avec un vent debout très faible.

7 mai 1993

Vers 23 h, ma mère m'a réveillée pour prendre un ris, hisser la grand-voile et le grand génois. Heureusement que le vent s'était levé, car nous dérivions rapidement vers le nord. Ma mère a dormi dans le cockpit. Elle devait me réveiller à 3 h, mais le bout retenant la pale aquatique du pilote a cédé et elle a barré de 2 h à 4 h.

J'ai pris la barre, et vers 5 h, un beau déluge m'a réveillée tout à fait, puis le vent a tourné. J'ai effectué un virement de bord. Vers 6 h, mon père est venu réparer le pilote et j'ai préparé le déjeuner. Bon petit mousse. Nous avons eu la visite d'un banc de dauphins. Le vent est resté stable toute la journée, mais nous n'avons pas le bon cap pour les Galapagos. Nous allons sud-est, ou trop au nord. C'est la vie. Nous dormirons dehors à tour de rôle. C'est la nouvelle politique des quarts. J'ai commencé un cours de versification. Rester étendue à lire toute la journée rend gaga.

8 mai 1993

Nous avions préparé un lit pour dormir dans le cockpit à tour de rôle, mais cela n'a pas été possible. J'ai tout rentré à l'approche d'une masse noire. Après une heure et demie sans pluie, je me suis risquée à sortir mon oreiller et une couverture, mais la pluie a commencé. J'étais heureuse de barrer, car il faisait bon filer dans la bonne direction.

Mon père s'est fâché parce que ma mère voulait venir me remplacer plus tôt en disant que c'était fatigant de barrer quatre heures. Je le faisais, car le vent avait des sautes d'humeur et j'en avais marre de réajuster le pilote. Finalement je l'ai remis et j'ai pu me coucher un moment, car la pluie avait cessé. Journée de coups de vent et de grains. On n'avance pas. On fait du nord ou de l'est. Le moral descend ! Ma cabine est inondée.

9 mai 1993

Nous avons dormi en laissant le voilier se débrouiller seul avec le pilote à vent. Journée comme les autres : ciel uniformément gris et sans horizon, route dans la mauvaise direction, pluie, moral à plat. Ma mère a fait du pain, quel courage ! Nous nous sommes donné un ultimatum.

Si nous ne sommes pas en vue des Galapagos demain, on fait demi-tour. Les semaines passent, les chances de frapper une tempête augmentent, le temps qu'il nous reste avant la saison des cyclones dans le Pacifique diminue et il y a beaucoup, beaucoup de route avant la Nouvelle-Zélande. Nous nous demandons ce que font les autres voiliers ; les courants sont incompréhensibles, ils réduisent notre vitesse et nous font dériver. Je suis triste à la pensée que tout aurait pu si bien aller et que mon rêve va peut-être mourir. Nous referions la route inverse avec dégoût ! L'impuissance m'écrase. Pourquoi ces ennuis, quelle décision prendre, quelle direction choisir ? ? ? Parfois, on dirait que quelqu'un se moque de nous. Nous avons tout affalé. La houle et les vagues sont hautes et le vent est tombé. Le voilier penche de tous les côtés, comme un bouchon. C'est horrible, alors on ne dort pas ; il faut se tenir pour ne pas tomber.

10 mai 1993

Nuit difficile ; on aurait dit que tout le gréement allait arracher. J'ai quand même sommeillé par périodes. Puis, vers six heures, nous nous sommes levés pour hisser le foc et la grand-voile, afin d'arrêter ces embardées infernales. Le vent s'est mis à souffler, souffler, souffler... Le ciel, après un orage, s'est ensoleillé. Il est 15 h 30. Nous avons le bon cap depuis le matin, avec des pointes de sept nœuds, mais une moyenne de quatre à cinq, car la mer est de plus en plus forte. Nous avions dérivé de 20 kilomètres vers l'est et 15 vers le sud au cours de la nuit. Il était vraiment temps de réagir, car dans cette direction... on se retrouvait en Amérique du Sud.

Je somnole depuis ce matin, car la mer est trop forte

pour lire ou étudier. Il reste 280 kilomètres avant les Galapagos. Espérons que le vent tienne. Ce soir on a mangé une omelette hypergarnie et des grands-pères aux ananas. Maman se surpasse aux chaudrons.

11 mai 1993

Aujourd'hui, changement du foc pour le génois, puis mon père a eu une idée géniale : trois ris sur la grand-voile avec le foc. En réduisant la surface des voiles, la proue piquait moins dans la vague, ce qui augmentait la vitesse. Avant cela, à chaque plongeon, la vitesse descendait à un demi-nœud, puis remontait lentement à quatre. Maintenant, c'est plus constant. La mer est très forte. Ma cabine est inondée, c'est atroce. Mes parents sont découragés de voir cela. Au dîner, je me suis mérité un diplôme de « cuisinière marine », pour avoir haché des oignons et du chou, puis cuit des hot-dogs dans ces vagues et avec une telle gîte.

12 mai 1993

Mon père a passé la journée à imaginer des routes avec des petits bords ou des grands, avec ou sans moteur. La plupart du temps, c'est ma mère qui trace les routes, mais là je crois que mon père a hâte d'arriver... Nous pensions mettre le cap sur une île sauvage des Galapagos, mais finalement, nous irons à l'île principale. Il y a une petite ville et ce sera bien de voir des gens. Nous devrions, en principe, arriver vendredi (le 14)...

13 mai 1993

Deux milles avant l'équateur, un arc-en-ciel très lumineux, aux couleurs intenses, doublé d'un deuxième plus pâle, est apparu de manière à ce que nous passions exactement en dessous, juste au milieu. J'aurais voulu filmer. Une photo truquée, aurait-on pu croire. Pouvons-nous être malchanceux après un tel présage ? À 00°00'19", nous avons arrêté le moteur afin de passer l'équateur en silence. Voyant remonter les chiffres, j'ai cru que nous culions, mais mon père s'est rendu compte que nous étions déjà sous les latitudes sud. Nous avons sorti le rhum, les chips et les friandises pour fêter l'événement.

14 mai 1993

Nous avons utilisé le moteur toute la nuit, mais je n'ai barré qu'une heure : mes parents ne m'ont pas réveillée et ont fait quatre heures chacun. Je leur ai confectionné des crêpes pour le déjeuner. Nous avons enfin approché du mouillage. Nous apercevions la terre depuis deux jours. Au loin, j'ai vu des otaries sur une plage. Elles sont amusantes.

Le mouillage est infernal. Je n'ai jamais vu une telle houle à l'ancre. Nous avons mouillé une première fois, mais des pêcheurs nous ont dit que le fond remontait très rapidement. Nous avons recommencé plus loin. Ces gentils pêcheurs sont allés déposer une ancre arrière, afin que nous soyons au moins dans le sens de la houle. Trois autres voiliers sont là. Le village est très développé et joli. Il y a aussi des boutiques souvenirs et des restaurants, évidemment. Les routes sont goudronnées ou recouvertes de terre rouge. La houle rend le départ du voilier en annexe dangereux, mais l'arrivée à terre est facilitée par un brise-lames. J'ai été déçue de voir tous ces touristes. Où est l'exotisme ? Nous avons rendu visite au capitaine de port. L'annonce du tarif douanier exorbitant et la nécessité de repartir dans 48 heures nous ont coupé le souffle. Nous avons négocié : cinq jours pour

200 $ US. Nous avons des réparations de voiles à effectuer, des ajustements à faire au moteur et nous tenterons d'empêcher mon écoutille de prendre tant d'eau. Je suis dégoûtée, car après tous les efforts que nous avons faits pour venir ici, alors que nous vivons une aventure exceptionnelle en voilier, nous devons prendre les mêmes excursions que les touristes venus par avion. C'est défendu de circuler avec son voilier personnel. Je trouve révoltant d'être si peu libre.

C'était amusant de voir tous les gens s'attrouper et nous questionner quand nous sommes revenus à l'annexe. À fréquenter seulement des gens de mer, on oublie ce que notre mode de vie et de locomotion a d'étonnant. Nous avons remonté l'annexe et le moteur sur le pont de peur que la houle ne les fasse verser. C'était tout un exploit de revenir à bord. Au sommet de la vague, le safran est hors de l'eau, dans le creux, l'eau touche le plat-bord. Nous avons discuté avec un Équatorien qui a une petite barque à fond de verre. Il pourrait nous amener en excursion.

20 mai 1993
En route vers les Marquises

JOUR 1 – Après avoir nagé avec les otaries, touché les tortues géantes plusieurs fois centenaires, marché sur une plage extraordinaire, vu des paysages volcaniques uniques et sidérants, pris un bain dans une faille à l'eau mi-douce, observé les raies manta, les centaines d'iguanes se prélassant au soleil, les picaros et les frégates, marché dans les tunnels de lave, dégourdi nos jambes un maximum, fait le plein de diesel, d'eau douce, de légumes et de fruits frais et réparé les voiles, nous repartons pour la suite de ce grand voyage.

Les tortues géantes des Galapagos.

Il s'agit maintenant de franchir les 5 930 kilomètres qui nous séparent des Marquises. Bien sûr, ce sera notre plus grand trajet sans toucher terre (jusqu'à maintenant). Cette traversée prend entre 17 et 35 jours selon les voiliers et les conditions météorologiques. Nous ne sommes pas dans la saison des cyclones, alors les probabilités de frapper du mauvais temps diminuent. Nous n'avons aucun système radio nous permettant de communiquer à plus de quelques kilomètres du voilier ; notre sort dépend entièrement de nous et... du Pacifique qui, je l'espère, fera honneur à son nom ! Comme embarcation de secours, nous avons une annexe en caoutchouc, dont nous n'avons pas fait vérifier l'état par le fabricant comme il est recommandé, et l'annexe en fibre de verre que nous utilisons tous les jours. Les réservoirs d'eau sont pleins et il y a des bidons supplémentaires attachés sur le pont. Les cales sont remplies d'aliments en conserve. Bref, si l'on meurt, ce ne sera ni de faim ni de soif.

Mon écoutille est scellée, mais si le temps se maintient comme aujourd'hui, nous ne pourrons pas tester son étanchéité. Le vent est bon. Je ne demande rien de plus. Après le souper, les quarts commencent. Nous pourrons dormir, mais dehors. Nous avons interrogé les autres équipages : certains veillent, d'autres dorment. Nous serons à moitié prudents.

21 mai 1993

JOUR 2 – La grand-voile a faseyé une partie de la nuit, car le vent avait faibli. Mon père dormait à l'intérieur, je suis allée larguer le ris avec ma mère pour augmenter la vitesse et diminuer les claquements. Le vent a encore faibli. Je ne dormais pas : quand ça va mal, je suis en alerte, m'attendant à tout instant d'être appelée pour une manœuvre. Sur la fin de la nuit, il tombait une bruine. La journée fut assez inconfortable. Le voilier est si ardent que le pilote à vent est incapable de maintenir le cap par vent de travers, même en contraignant la barre au maximum. La vitesse est bonne, parfois six nœuds, mais le vent est inconstant et le cap oscille entre 210° et 300°. C'est incroyable de voir la hauteur et la longueur de la houle. Mes parents ont recousu le foc au cas où nous aurions à l'utiliser. Il était déchiré sur plusieurs centimètres. Dans l'après-midi : opération « nettoyage des soupes, concentrés et denrées attaqués par les charançons[61] ». Sales bêtes, elles transpercent les emballages.

22 mai 1993

JOUR 3 – Nous avons plus ou moins dormi, dans le plus grand inconfort. Vers 3 h, ma mère, qui était inquiète, nous a convaincus de remplacer le génois par le foc et de prendre un ris. Ouf ! C'est dur en pleine nuit, ça tord le ventre. Journée grise. La mer ne baisse pas. Il y a eu quelques embruns.

23 mai 1993

JOUR 4 – Nuit de gros vent et mer très agitée. Journée sans manœuvres. Vitesse constante. Riz au jambon pour souper. Au matin, nous avons encore trouvé une douzaine de poissons volants sur le pont. La seule chose à faire est de les rejeter à l'eau, car ils sont pleins d'arêtes.

24 mai 1993

JOUR 5 – Aucun changement de voilure. Les vagues ne diminuent pas. Nous avons croisé un transatlantique à l'aube, à moins d'un mille. Nous ne ferons pas de quart pour autant. La mer commence à baisser un peu. Je ne sais pas si le vent rugira toute la nuit, reformant les vagues. Journées qui se ressemblent : lecture, dodo, bain d'eau de mer, cuisine, le pain qui moisit et les charançons qui bouffent la nourriture. Les 95 bananes du régime sont mûres en même temps. Le « menu bananien » commence demain. Nous écoutons de la musique classique au coucher du soleil. C'est fantastique ! Les roses et les orangés dominent.

25 mai 1993

JOUR 6 – La mer ne diminue pas. Nous nous dirigeons plus au sud, espérant rencontrer des latitudes plus clémentes. Ma tête est pleine de plaies qui ne guérissent pas. Ma mère tresse mes cheveux et imbibe le cuir chevelu de bétadine. J'espère que cela va s'améliorer, car je ne veux pas raser mes cheveux. Cela a commencé aux Galapagos. Je ne sais pas ce que c'est et je suis inquiète. Quel cauchemar !

Dans les guides de navigation, on parle de voiliers qui disparaissent... la cause : collisions... Hum ! Chaque matin en ouvrant les yeux, je remercie l'océan d'être en vie, car nous dormons tous les trois à certains moments.

28 mai 1993

JOUR 9 – Ce matin, c'est presque le calme plat. On a franchi le cap du « moins de 2000 milles marins avant l'arrivée ». Aujourd'hui, journée scolaire : grammaire, histoire, musique. Mon père vient presque de passer par-dessus bord. Il est sorti dans le cockpit et il y a eu une embardée soudaine au même moment. Il s'est retrouvé dans le filet. Il n'avait pas de harnais, chose rare la nuit, et nous filions à six ou sept nœuds. Hum ! Hum !

29 mai 1993

JOUR 10 – Nuit affreuse. Beaucoup d'embardées brutales. Aucun changement sauf la mer qui est plus grosse. Marie a cuisiné des muffins divins aux bananes et chocolat. Moi, je tiens les plats pendant qu'elle prépare. Nous mangeons comme des rois, malgré une mer si atroce. Rien n'arrête notre gourmandise... Et puis, la cuisine fait partie des choses qui nous occupent et nous remontent le moral. Une traversée se résume souvent à manger, dormir, lire et... changer la voilure. On ne peut pas dire que l'on se parle beaucoup. Toutes ces nuits de demi-sommeil

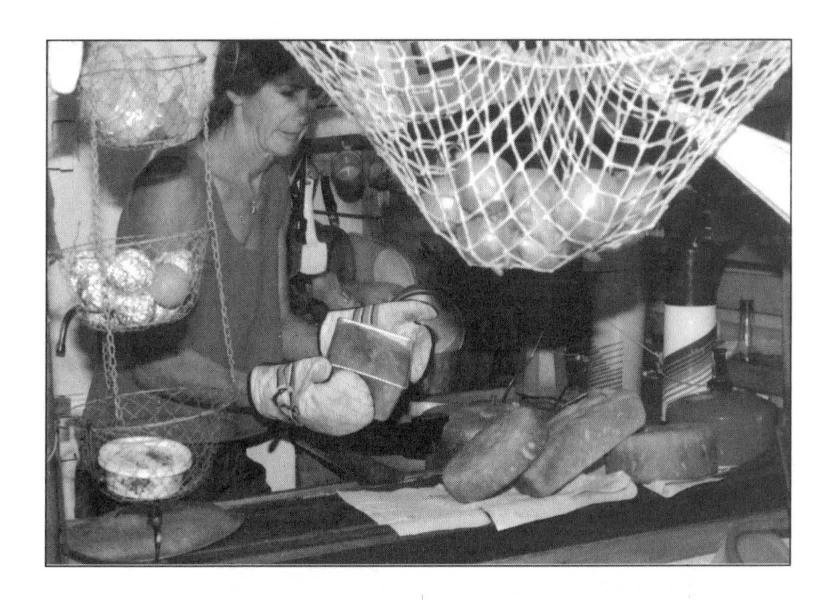

Maman fait du pain et des gâteaux.

nous épuisent et quand l'un fait son quart, les autres en profitent pour dormir plus profondément. De plus, les kilomètres d'eau qui défilent depuis plusieurs jours et le mouvement constant du voilier nous rendent un peu hagards. En dernier lieu, l'isolement est notre seul refuge. Il peut sembler étrange de prétendre s'isoler quand on vit à trois sur 12 mètres de long, mais il est nécessaire de se refermer un peu sur nous-mêmes pour avoir des moments de solitude, car nous en avons tous besoin pour protéger la bonne entente au sein de l'équipage...

30 mai 1993

JOUR 11 – Comme nous sommes à mi-chemin entre Panama et les Marquises, nous avons sorti les friandises de la trousse de survie en cas de naufrage. J'ai vécu un moment atroce quand ma mère a défait et peigné mes tresses. Il y avait des grammes de croûtes huileuses à chacune. Affreux ! J'ai bien lavé mes cheveux et ma mère les a coupés un peu et re-tressés. Quel bien-être ! Il y a encore quelques plaques qui coulent, mais j'ai confiance en un onguent à la pénicilline.

31 mai 1993

JOUR 12 – Aujourd'hui, je réfléchissais à nos relations depuis presque deux ans. C'est surprenant à quel point on prend peu le temps de se connaître sur terre, trop pris que nous sommes par nos activités respectives. Je discute beaucoup avec mes parents depuis que je suis toute petite et je croyais tout savoir sur eux, mais la vie en voilier m'a révélé tellement plus sur nous trois. J'ai découvert à quel point je ressemblais à mon père (ce qui explique pourquoi nous avons parfois tant de mal à nous entendre) et certains aspects de ma mère que j'ignorais totalement. Mon père et moi avons deux tempéraments explosifs : un moment, nous voulons nous sauter à la gorge et un observateur extérieur pourrait se demander comment cela va se terminer si aucun des deux ne cesse cette escalade d'injures. L'instant d'après, nous retrouvons une complicité incroyable comme si rien ne s'était passé, alors que les « spectateurs » tremblent encore d'avoir assisté à ce duel verbal intense et agressif. Ma mère est plus vulnérable et sa réaction la plus caractéristique est de se refermer comme une huître. Quel défi de la sortir ensuite de son mutisme ! Mon père et moi devenons un monstre à deux têtes et peu importe si un seul de nous deux a dit quelque chose de blessant, nous sommes également coupables. D'autres jours, je deviens aux yeux de mon père la traîtresse complice de ma mère et tout ce que nous disons semble pour lui le résultat d'un complot de longue date.

L'image qui me vient à l'esprit pour illustrer notre trio est celle d'une balance. Mes parents sont chacun sur leur plateau et moi, je suis tantôt sur l'un, tantôt sur l'autre, tantôt assise bien confortable entre les deux, me moquant un peu de ces disputes répétitives ou tentant de me poser en arbitre avec le plus d'objectivité possible. Mais, c'est bien connu, l'arbitre a tous les torts, alors mieux vaut faire de la sociologie et étudier les comportements parentaux en silence... C'est très instructif !

Les situations quotidiennes de stress n'aident pas non plus à avoir des rapports très harmonieux et réfléchis. Les colères doivent éclater pour que l'on passe à autre chose. Heureusement, toutes les petites activités manuelles ou physiques qui emplissent notre existence

(réparations, cuisine, navigation, balades, apnée) nous maintiennent hors d'atteinte des pensées grises et sournoises qui assaillent les gens sédentaires et c'est ce qui nous aide à surmonter les frictions et le découragement quand tout va mal. Bref, pour trois êtres qui prennent beaucoup, beaucoup de place, nous ne nous en tirons pas trop mal.

1er juin 1993

JOUR 13 – Au cours de la nuit, nous avons dû faire des changements de voile. Vers 4 h, le tangon s'est décroché. Nous avons aperçu un bateau à moins de trois kilomètres. C'était une sorte de petit traversier. Il avait un cap nord-ouest et n'a pas répondu à notre appel radio. Moins d'une heure plus tard, un jumeau de ce bateau est venu vers nous, provenant du nord-est. Dans la houle, il est difficile de voir au loin avec les lunettes d'approche. Il est passé derrière nous et, après s'être immobilisé environ une heure, il est disparu vers le sud. Le lendemain matin, un autre presque semblable se dirigeait du sud vers le nord-ouest. Cette nuit, j'ai mal dormi ; j'étais tendue comme une boule de nerfs, me levant souvent pour aller examiner le large. Ouf ! Il y a du trafic sur le Pacifique ! J'étais fatiguée ce matin.

Si l'on ne compte pas les nuages, cette nuit de lune presque pleine était magnifique. Mes parents ont subi une inondation épouvantable vers minuit. L'écoutille au-dessus de leur couchette était ouverte et une déferlante s'est écrasée sur le pont. Le matelas et tous les draps étaient trempés. Nous sommes à mi-chemin Galapagos/ Marquises !

2 juin 1993

JOUR 14 – Nous faisons trop de nord. Ce matin, il a fallu vider les cales : l'eau éclaboussait le plancher. Pas étonnant, avec toutes les déferlantes qu'on a eues. Mon père a pêché un petit thon d'environ deux kilos. Le poisson a mordu dès qu'on a jeté la ligne à l'eau. Un vrai coup de chance ! Ces gros flocons frais étaient un délice.

On a décidé de faire des quarts de trois heures. Je suis plus rassurée. Mes parents essaient de faire un point au sextant. C'est l'incompréhension la plus totale côté calculs...

4 juin 1993

JOUR 16 – Ce matin, la ligne à pêche s'est soudainement déroulée à toute vitesse. Mon père, occupé à ses besoins intimes, est accouru aussi vite que possible. Il a eu beaucoup de difficulté à remonter ce qui était un véritable monstre : un immense poisson de la famille des maquereaux. Nous avons dû le harponner au fusil de chasse pour le hisser à bord. La première flèche est tombée à l'eau après s'être détachée. Mon père a tenté de l'assommer avec un gros crochet, mais il a perdu son outil. Avec une deuxième flèche, il est parvenu à le remonter. Il mesurait un mètre trente et pesait environ 20 kilos. Il nous a fallu jeter une grande partie de la chair, après avoir mangé tout ce que nous avons pu en 24 heures. Nous n'avons pas de réfrigérateur, alors, quel gaspillage ! C'était un vrai délice ! Ça change de la viande en conserve !

5 juin 1993

JOUR 17 – Nous pensions toucher terre dans neuf

jours, mais si le vent n'augmente pas... Pas de quart cette nuit. Nous n'avons pas croisé d'autres navires dans les derniers jours. Pas de pêche aujourd'hui.

6 juin 1993

JOUR 18 – Nous avons franchi le cap du « moins de 1 000 milles » !

7 juin 1993

JOUR 19 – Mon père m'a donné un cours de mécanique diesel : changement du filtre à huile et du filtre à diesel. On a saigné le moteur pendant longtemps sans pouvoir amorcer la pompe. Mon professeur avait posé le filtre à l'envers. Hum ! ! ! Il m'a dit de changer d'école.

Au menu : hot chicken, pommes de terre rissolées, gâteau renversé au chocolat et aux poires avec sauce au chocolat. On se croirait sur la terre ferme.

8 juin 1993

JOUR 20 – Nous avons fait des tas de manœuvres encore une fois. Nous avons barré à tour de rôle avec les voiles en ciseaux. Le cap est plus stable ainsi. Souper de gnocchis maison délicieux.

9 juin 1993

JOUR 21 – Au matin, il a fallu affaler. C'est le calme plat. Nous avons noté une baisse soudaine du baromètre. Le ciel est beau. DU VENT S.V.P. !

Alors que je vérifiais l'horizon une dernière fois avant de dormir, j'ai vu une petite lumière. On l'a observée une demi-heure. Nous croyons qu'il s'agissait d'un autre voilier. La lumière clignotait constamment comme si elle était cachée par des voiles. On a lancé des appels radio et fait des signaux avec la lumière de pont, mais pas de réponse. J'ai vu la lumière plusieurs heures, puis seulement un halo, et quand le petit croissant de lune s'est levé, plus rien.

Quand j'ai commencé mon quart à 21 h (nous avons décidé de veiller), des dizaines de dauphins sont venus. Ils faisaient des pirouettes très près du voilier, par groupes de six à huit. Ils nous éclaboussaient presque. Je ne les avais jamais vus aussi agités. Autre quart de 2 h à 4 h. Rien à signaler.

10 juin 1993

JOUR 22 – Le GPS nous a donné une heure d'arrivée pour la première fois. Selon lui, nous serons arrivés dans 99 heures et 59 minutes !

12 juin 1993

JOUR 24 – Réveil en catastrophe pour affaler en plein grain. Mes parents avaient trop attendu (plutôt mon père, malgré les remarques de ma mère). J'ai failli m'envoler avec la *stay sail*[62], qu'il a fallu laisser tomber à l'eau. Il est impossible de la ramener sur le pont, elle n'a pas de mousquetons pour la retenir à l'étai. Il a fallu enlever le tangon, et le génois s'est déchiré sur 30 centimètres pendant qu'on affalait. Mon père était en colère. Selon lui, il aurait mieux valu laisser passer le grain. Drôle de commentaire, car on aurait dit que le mât allait arracher avec autant de toile. Nous avons pris deux ris et hissé le foc. Pendant la journée, le vent a diminué et la mer a fait de même. On avait une vitesse constante de huit nœuds et demi ce matin. Avec notre petit train-train actuel de cinq nœuds, nous verrons les îles mercredi prochain. Ma mère nous a avoué une mésaventure affreuse qui est survenue la nuit dernière : pendant que nous affalions le génois, une des écoutes s'est enroulée autour de son cou. S'il y avait eu une bourrasque à ce moment, elle aurait pu se faire arracher la tête. Quelle horreur !

Comme nous approchons, j'ai lavé mes cheveux à l'eau douce aujourd'hui. Mon cuir chevelu n'est pas totalement guéri : il est sec et plein de croûtes. Cette nuit, nous avons jugé raisonnable de reprendre les quarts.

13 juin 1993

JOUR 25 – Nuit douce et calme. Hier, exaltée, j'avais calculé qu'à cinq nœuds, nous serions au mouillage le 16 juin à 13 h. Mais notre vitesse est de quatre nœuds et la mer et le vent s'adoucissent. Espérons que la nuit apportera du vent. Je veux arriver !

14 juin 1993

JOUR 26 – Nuit très désagréable... et c'est un euphémisme. Mauvais sommeil, troublé par les voiles qui claquent. J'ai fait le quart de 23 h à 1 h. J'ai failli me mettre à hurler en faisant la danse du vent sur le pont ! Je ne pouvais plus, mais alors plus du tout supporter ce bruit incessant des voiles qui tombent et se regonflent avec un claquement sec résonnant dans le pont jusqu'à la poulie et au cabestan. J'ai mis des écouteurs et essayé de calmer mes pauvres nerfs en écoutant Harmonium : très efficace.

Nous devrions arriver le 16, si le vent persiste. Quel suspense ! Je ne peux pas croire que nous avons vécu un mois sur l'eau. Il me semble que nous venons de quitter les Galapagos. Ce jugement est rétrospectif bien entendu. Je refais les mêmes heures de veille et le vent est bon. Il reste 220 kilomètres avant les Marquises. J'ai hâte d'apercevoir les premiers sommets ! Demain soir, peut-être...

15 juin 1993

JOUR 27 - Mes parents ont voulu réparer le grand génois à la machine à coudre afin de pouvoir le hisser et augmenter notre vitesse. Finalement, nous avons passé toute la matinée à tenter de démarrer la génératrice pour brancher la machine à coudre. Nous l'avons mise en pièces, remontée, et avons fait au moins 500 essais de démarrage (mon pauvre bras a enflé de trois centimètres). Elle a refusé de fonctionner. Dans l'après-midi, couture à la main, puis nous avons tangonné le grand génois. On a barré toute la journée et on se préparait à faire de même pour la nuit, mais le vent s'est mis à souffler miraculeusement. Nous avons barré manuellement afin d'obtenir un meilleur cap et une vitesse plus constante. À partir de 1 h, nous avons fait des manœuvres jusqu'à 3 h afin de ralentir notre vitesse (paradoxal).

16 juin 1993

JOUR 28 - À 5 h 20, nous étions tous debout pour voir la terre émerger d'une nuit noire sans lune. C'est fabuleux de voir ces hauteurs incommensurables avec des crêtes si pointues et si étroites qu'on ne pourrait y marcher. On aperçoit des verts de toutes les intensités et une végétation touffue dans les zones protégées du vent. Nous avons affalé un peu avant d'arriver. Nous étions vent arrière et nous en avions marre d'installer le tangon. Nous apercevions seulement deux mâts, mais une quinzaine d'autres nous sont apparus en contournant une pointe. La houle était énorme et il y avait une profondeur de 20 mètres au mouillage. Nous avons tenté de jeter l'ancre derrière la jetée, mais l'espace manquait. Nous sommes retournés dans la zone de 20 mètres, à la suite des trois autres voiliers déjà mouillés. Ouf ! Nous avons mangé et sommes allés immédiatement à terre. Quel cauchemar de descendre dans l'annexe. C'était pire qu'aux Galapagos. Et quelle surprise en voyant la coque de *L'Échappée Belle* quand je me suis baignée : elle est recouverte de grappes de coquillages poussant sur une tige d'environ deux centimètres ressemblant à du caoutchouc. À terre ce fut la surprise. Je m'attendais à voir des pirogues et des huttes et je me suis retrouvée en face de maisons comme celles de la France ou du Québec, avec d'immenses réservoirs d'essence sur la plage, des camions et des routes ! Quel exotisme... Mais les pics vertigineux qui disparaissent dans les nuages sont beaux à pleurer.

Après 45 jours de mer, entrecoupés de deux brefs arrêts époustouflants, nous étions aux Marquises dont nous avions tant rêvé, tellement éberlués que l'émotion ne nous bouleversait plus. J'ai encore du mal à réaliser après deux jours ici. Quelqu'un nous a amenés au village en stop. Il est semblable à un village de Provence, si ce n'est les habitants aux traits qui nous étaient inconnus et d'une gentillesse jamais vue de toute ma vie. Ils sont tellement prompts à sourire et à dire bonjour qu'on en reste surpris. La plupart ont le nez épaté et les lèvres charnues, une chevelure noire et la peau de brun pâle à presque noire. Certains ont des traits plutôt asiatiques ou européens. Ils sont très beaux en général et les longues chevelures des jeunes filles sont impressionnantes.

Dès la première journée, nous sommes allés nous recueillir sur la tombe de Jacques Brel et sur celle de Paul

Gauguin, plus exotique, avec un arbre fleurissant derrière et un bronze ornant les pierres volcaniques empilées. Nos muscles, inutilisés depuis un mois, recommençaient à nous rappeler leur présence douloureusement... Nous avons reçu notre première averse tropicale abrités sous d'immenses feuilles de bananiers. Les prix exorbitants des denrées alimentaires nous ont surpris, mais les baguettes sont délicieuses. Le gendarme étant absent, notre entrée officielle en territoire polynésien fut remise à plus tard. J'ai fait rigoler un groupe de garçons, après avoir serré toutes les mains tendues. C'est amusant de voir les Polynésiens rire à chaque mot, à chaque phrase. Leur langue est une musique, leur accent, quand ils parlent français, est un charme ! Ça roule ! Les fleurs exotiques en avalan-

La tombe de Gauguin à Hiva Oa, Marquises.

che devant un autel du temple auraient rendu fou d'envie un fleuriste étranger : des dizaines d'oiseaux du paradis et d'autres variétés qui semblaient faites de caoutchouc d'un rouge éclatant. Une dame remettait un superbe collier de fleurs tressées à la vierge sculptée.

Arrivée au bout du monde, je me demandais pourquoi les rêves nous donnent tant d'émotions et, quand on les réalise, on ressent un grand vide, un étonnement de continuer comme avant, de ne pas cesser de respirer. La vie continue et le temps ne s'arrête pas... Je ne suis pas blasée, au contraire : mes larmes ont coulé au moment de jeter l'ancre. J'étais enivrée par le parfum sucré de la terre, mais j'ai du mal à définir mon sentiment. Ce n'est pas de

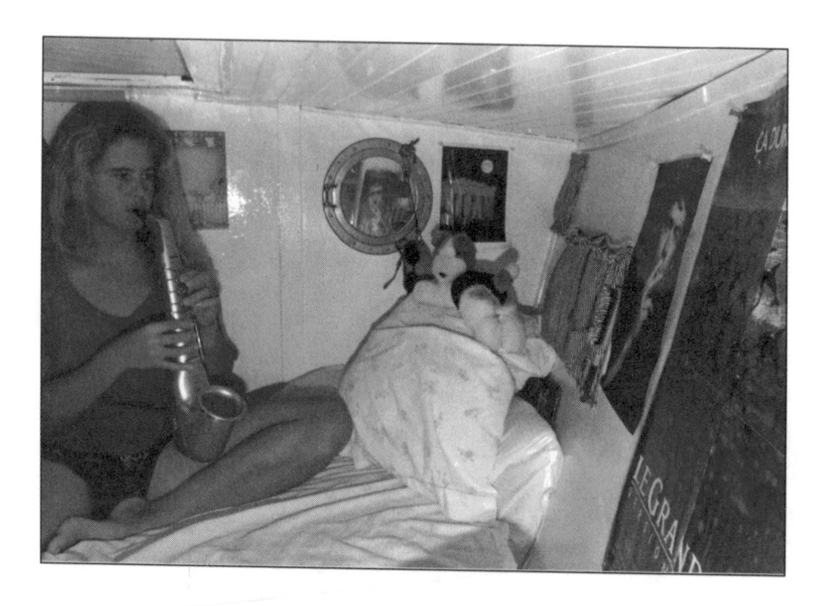

Mon petit univers.

la déception. Peut-être un peu de lassitude due à la fatigue. N'empêche que j'ai la tête pleine d'images fabuleuses et je suis prête à vivre d'autres aventures extraordinaires, sur terre maintenant, pour quelques jours...

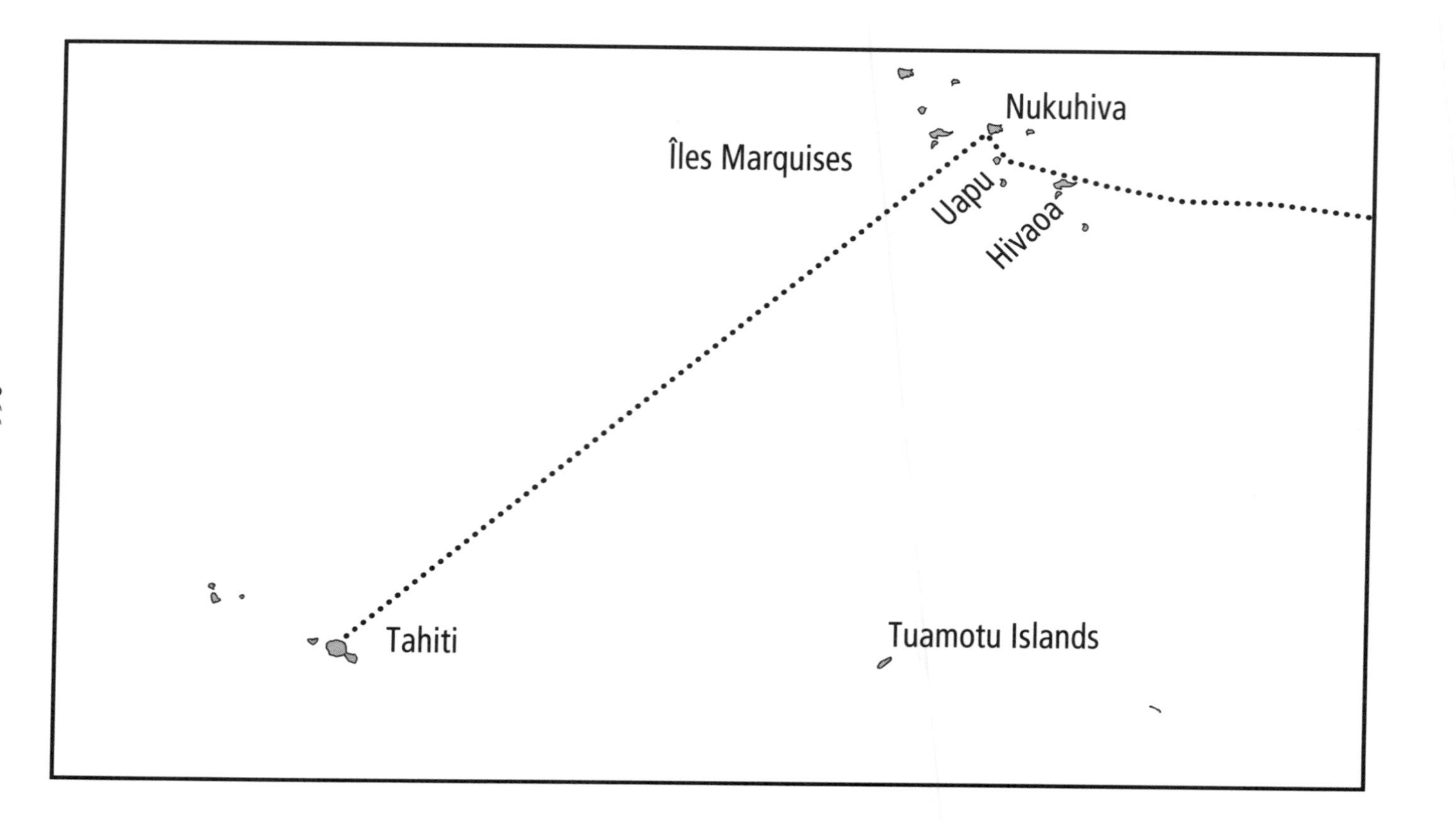
Nukuhiva
Îles Marquises
Uapu
Hivaoa
Tahiti
Tuamotu Islands

Quatorzième chapitre

La Polynésie

Juin 1993 à août 1996

Je me souviens de notre arrivée aux Marquises. L'accueil chaleureux, les nombreux cadeaux (fruits, paréos, colliers) et la gentillesse spontanée des Marquisiens m'ont surprise et émue. Cette générosité était d'autant plus incroyable que les voiliers étaient nombreux à sillonner ces îles et que plusieurs équipages en abusaient avec un manque de scrupules révoltant. J'ai vu plusieurs de ces parasites s'installer dans des baies paradisiaques et se faire nourrir pendant des mois par une famille de pêcheurs ou un couple âgé sans grandes ressources, mais qui n'auraient jamais osé leur refuser l'hospitalité, car les Polynésiens ne disent jamais non quand il s'agit d'accueillir un étranger. C'était navrant de les voir sortir de leur cockpit jour après jour à l'heure des repas, se dirigeant vers la plage comme des chacals pour rafler leur part de riz et de corned beef, ou encore, de les voir cueillir tous les fruits qui leur tombaient sous la main, comme si l'univers leur appartenait.

Dans l'île de Nuku Hiva, mes parents ont rencontré un prince marquisien avec qui ils ont eu le goût de s'associer pour créer une petite marina. Nous nous sommes rendus à Tahiti pour que je m'inscrive au Lycée. Le trajet fut d'ailleurs des plus désagréables : de longues journées de calme plat entrecoupées de grains abominables. Dès

Mouillage de notre voilier aux Îles Marquises.

la première nuit, une voile déchirée, ensuite, le pilote qui brise, la gazière aussi, le GPS qui nous abandonne au moment de traverser l'archipel des Tuamotu, bref, huit jours de cauchemar et la confirmation qu'il nous fallait faire une pause dans notre périple marin.

La première année au lycée de Taaone a été difficile. Je suis entrée à l'internat, car mes parents retournaient vivre aux Marquises. Le directeur m'avait avertie que peu de Français supportaient cette vie, mais j'ai décidé d'essayer et, de toute façon, je n'avais pas vraiment le choix. Nous dormions dans des dortoirs de 50 lits à deux étages avec une salle de bains commune. L'accès à l'internat était interdit avant 16 h 30, heure à laquelle il était obligatoire d'être présent. Il fallait alors se préparer pour le repas au réfectoire. J'ai donc passé un an dans la cour d'école en béton, entre mes cours et après le repas du soir, avant de me rendre à la salle d'études. Les sorties étaient interdites le week-end, sauf le samedi après-midi. Comme je n'avais pas de famille sur place, mes sorties consistaient en des balades à Papeete ou à la plage polluée près du lycée. D'ailleurs, sur les quelques centaines d'internes, seuls une trentaine de garçons et filles originaires d'archipels éloignés logeaient au pensionnat pour le week-end.

J'ai eu du mal à me faire des amis et j'ai découvert la difficulté de s'adapter à une culture différente. Il y avait la barrière de la langue, une façon de penser, un humour, un mode de vie qui m'étaient inconnus. Je n'étais pas des leurs et je le ressentais avec force. S'ajoutait à cela le passage de la solitude de ma cabine à la vie commune et bruyante du dortoir. Je n'étais pas très à l'aise avec les jeunes de ma classe, Français en majorité, et plus jeunes que moi. Je m'étais inscrite dans une filière scientifique et les cours du programme d'éducation aux adultes, que j'avais suivis sur le voilier, n'étaient pas suffisants pour intégrer le niveau de ceux de mon âge. J'ai tout de même terminé l'année avec de bons résultats et une grande leçon de vie sur l'intégration au sein d'une culture étrangère.

Mes parents ont passé l'année à Nuku Hiva, à 700 kilomètres de Tahiti. Ils ont travaillé à leur projet de marina dans la petite baie de Hakatea, accessible seulement par mer ou à cheval. Ils y ont construit un restaurant extérieur, ils ont cultivé des légumes, apprêté des chèvres et des cochons sauvages (chassés par Laurel et Hardy, deux ouvriers qui vivaient là et que j'avais surnommés ainsi

Mes premiers amis marquisiens à Tauata.

pour leur ressemblance avec les deux personnages) et essayé de résister au pillage systématique de tous les arbres fruitiers par les autres équipages qui se croyaient tout permis. Harcelés par le vieil homme qui vivait aussi dans la baie avec sa femme, prenant conscience de la complexité de la situation et de l'imbroglio des titres de propriété, réalisant qu'ils ne pouvaient rien faire à long terme, mes parents sont venus me rejoindre à Tahiti.

Pendant les vacances, j'ai travaillé dans une baraque foraine. Durant les fêtes de juillet, le Heiva, des dizaines de kiosques vendent des jouets, de la nourriture et organisent des jeux d'adresse ou de hasard. J'ai beaucoup aimé cette expérience et je n'ai pas vu l'été s'écouler. Je tra-

Le travail aux baraques foraines du Heiva, Tahiti.

vaillais de 9 h à 23 h presque tous les jours. Cet été-là, j'ai vécu avec mes parents dans une maison louée à des connaissances.

À ma deuxième année de lycée, j'ai obtenu une place dans un foyer pour jeunes filles. J'avais accès à ma chambre 24 heures sur 24, et les horaires de sorties étaient plus souples. J'ai apprécié l'ambiance de camaraderie, les heures de rigolades à la bibliothèque et j'ai pu nouer de réelles amitiés. Je fréquentais un nouveau lycée à proximité du foyer. Le lycée Paul-Gauguin est un point de rassemblement pour les Français de passage qui essaient d'y recréer leur façon de vivre. J'ai été sidérée par leur comportement et je les ai d'ailleurs très peu fréquentés. On aurait juré en les observant qu'ils ne savaient pas qu'ils vivaient en Polynésie française. Ils constituaient un groupe uniforme, refusant catégoriquement de quitter leur jeans et leur chemise de la « métropole » malgré la chaleur suffocante, fréquentant le même snack où les réputations se bâtissaient ou se détruisaient avec une ardeur mesquine décuplée par le climat tropical. Ils fréquentaient peu ou pas du tout les jeunes appartenant à une autre culture que la leur. Ma description frise la caricature, mais elle est très proche de la réalité, et l'air de supériorité et de suffisance qu'ils affichent sans exception m'a toujours maintenue loin de leur clan. Au cours de cette année, j'ai passé beaucoup de temps à répéter au conservatoire, car j'avais repris l'étude du saxophone.

Mes parents, eux, se sont mis à la recherche d'une solution pour rester sur l'île, car le coût de la vie était très élevé et ils devaient absolument trouver du travail pour que je continue à étudier. Mon père a d'abord fait des travaux d'ébénisterie. (Il avait eu un atelier quand nous habitions Québec.) J'ai ensuite entendu parler de vagues projets de meubles en kit, mais comme les partenaires éventuels semblaient des plus instables, mes parents ont décidé de se débrouiller seuls. Ils ont loué une maison : le voyage faisait oublier l'inconfort de *L'Échappée Belle*, mais vivre sur le voilier sans voyager était insupportable. Un permis de travailleur autonome leur a été accordé après d'innombrables démarches. Ils ont acheté un banc de scie et ils ont mis des annonces dans toute l'île. Quelques contrats de meubles nous ont aidé à passer deux autres années sur l'île.

Après ma deuxième année scolaire, j'ai fait un voyage qui reste l'un de mes plus beaux souvenirs. Je suis partie avec trois amis dans l'île enchanteresse de Huahine. Le paysage fabuleux, la température idéale et surtout les jeunes que j'y ai connus et avec qui je corresponds toujours ne suffisent pas à expliquer tout ce que j'ai ressenti lors de ce séjour irréel. C'est comme si toutes les grâces de l'univers avaient convergé vers moi pendant deux semaines extraordinaires. J'ignore pourquoi ces journées me laissent encore aujourd'hui une profonde impression de rêve éveillé.

La dernière année à Tahiti a été la plus équilibrée à tous les niveaux. Mes parents avaient loué une nouvelle maison à proximité du lagon, dans la presqu'île, à une soixantaine de kilomètres de Papeete. J'ai décidé d'aller vivre avec eux au bord de la mer et j'ai changé encore une fois de lycée. J'ai eu l'impression d'arriver dans une grande famille regroupant élèves et enseignants. Tous se connaissaient, car il y avait une seule Terminale scientifique, soit une trentaine d'étudiants de cette filière qui se côtoyaient depuis deux ans déjà. Les professeurs étaient très proches de leurs élèves et soucieux de susciter leur intérêt. Ces conditions de travail exceptionnelles m'ont permis de décrocher un bac avec mention « Très bien » et, surtout, j'ai enfin eu l'occasion de nager et de plonger jour après jour juste devant ma porte ! D'ailleurs, j'avais le privilège d'avoir une barrière de corail sur laquelle se brisaient de belles vagues certains jours, ce qui m'a permis de découvrir le *body board*. À la sortie de l'école, je troquais le sac pour la planche et ce, jusqu'au coucher du soleil sous le regard inquiet de mon père qui craignait toujours de voir un aileron de requin apparaître à mes côtés. C'est au moment de partir que j'ai pris conscience de la force de

Un peu de body board *à la sortie du lycée à Tautira, Tahiti.*

certaines amitiés nées cette année-là. Cela a rendu le départ encore plus difficile.

De plus, j'ai passé les derniers jours à Huanine, l'île enchanteresse, dans une pension appartenant à la tante de mon copain. Elle est située dans la plus merveilleuse baie de l'île, celle de Parea. J'ai savouré avec chaque cellule de mon corps la délicieuse sensation du sable brûlant et la fraîche caresse de l'eau du lagon. J'ai regardé, à m'en brûler les yeux, les interminables plages d'une blancheur aveuglante et le turquoise intense qui précède la barrière de corail. J'ai passé des nuits entières à observer les millions d'étoiles peuplant un ciel d'une pureté qu'on ne retrouve qu'au milieu de l'océan. J'ai essayé de captu-

Les fermes perlières de l'archipel des Tuamotus, Polynésie française.

rer dans ma mémoire olfactive les parfums capiteux des fleurs de tiare et de pamplemoussier. J'ai exploré les sombres vallées habitées par des palétuviers centenaires qui semblent les gardiens muets de mystérieuses légendes et de rites ancestraux dont ils ont été témoins... Mais tout cela a pris fin et je me suis retrouvée... au Québec.

Répétition de saxophone à Papara, Tahiti.

Épilogue

26 août 1996

Je suis triste et je cherche la raison de cette douleur. Pourtant, mon appartement est merveilleux, les retrouvailles avec les proches se sont passées comme si nous ne nous étions jamais quittés... justement, c'est ce qui me fait si mal. C'est comme si je me retrouvais cinq ans en arrière. On me dit que je n'ai pas changé. Pourtant, je me sens tellement différente, tellement loin de l'adolescente de 14 ans qu'ils avaient vue partir, il y a si longtemps ; je n'accepte pas ce retour. J'ai l'impression qu'on me force à retrouver ma petite place, dans ma petite vie, dans ma petite ville, à oublier toutes ces années ailleurs, comme si elles n'avaient aucune importance. J'ai envie de m'envoler vers un lieu inconnu où je ne suis connue de personne. Je me sens aimée, aidée, et pourtant, ma solitude est plus grande que dans un pays étranger. Je n'accepte pas de redevenir une Québécoise au Québec, de retrouver mon accent, de rentrer dans un moule, d'être de retour « chez moi ». J'ai l'impression de ne pouvoir communiquer avec personne. Je suis prisonnière d'un corps et d'un visage. Je n'arrive pas à définir ce que j'aimerais faire. Je suis infiniment triste. On dirait que je viens de passer cinq ans dans un pays imaginaire, et soudainement, je me réveille. Le réveil est brutal, glacial.

Il y a aussi la fin définitive de l'enfance, la vie qui arrive à toute vitesse, avec ses décisions importantes, ses responsabilités, son poids de soucis et de choix.

J'ai brusquement réalisé, aujourd'hui, que je n'avais aucune envie de vivre ici et d'étudier la biologie. Je partirais demain à l'aube, comme missionnaire en Afrique, ou équipière sur un voilier naviguant vers la Papouasie. La vie ici me rebute totalement. Rien à découvrir, les mêmes décors, les mêmes gens, les mêmes paroles. J'essaie de me convaincre que je suis de passage, mais la sensation de déjà-vu m'écrase. Je voudrais avoir quelques économies pour partir je ne sais où et ne devoir rien à personne. Connaître cette complicité spontanée des voyageurs qui savent qu'ils ne se croiseront qu'une fois.

Le connu m'effraie tellement plus que l'inconnu, alors qu'il devrait me rassurer. Mon angoisse paraît alors encore plus insolite. C'est comme si je n'avais aucune excuse pour justifier mon sentiment d'isolement, ma sensation d'être étrangère.

Je veux être une femme quelque part dans le monde. Pourquoi ne me pose-t-on aucune question sur ces cinq ans ? Et pourquoi les mots sonnent-ils si faux, quand je parle de tel ou tel aspect de notre vie là-bas ? Peut-être parce que j'ai l'impression de raconter un banal voyage de vacances, alors que ces cinq années m'ont créée. Je suis née en quittant le Québec et je n'accepte pas de retourner dans le passé. Je déteste les souvenirs, les lieux et les personnes qui témoignent de la vitesse à laquelle passent les années. Je refuse cette fuite du temps et cette impression que tout est arrivé hier.

Je ne veux pas vieillir, je refuse d'être une adulte. Je crois que le vrai problème est là. La rupture avec l'enfance est tragique. J'ai envie d'être protégée, guidée, et en même temps, je me montre dure et orgueilleuse. En fait, je suis complètement paumée.

Je vis mon retour comme un échec, un retour à la case départ. J'espère être de passage, je n'arrive pas à concevoir que je suis là pour rester. AMENEZ-MOI LOIN D'ICI !

L'envie de repartir me tenaille. La terre est vaste et mon tour du monde est loin d'être complété. Je ne regrette pas une seconde ce périple fabuleux qui m'a conduite en des lieux merveilleux dont je ne soupçonnais même pas l'existence et qui m'a fait progresser énormément dans mon aventure personnelle.

2 mars 1997

Je vis toujours à Québec.

Tahiti reste très présente dans mon esprit. Mon appartement est un véritable microcosme polynésien et les nombreuses lettres que je reçois me donnent l'impression d'y être encore. Je n'y ai vécu que trois ans mais, curieusement, j'ai parfois la sensation d'être née là-bas. Cette île est devenue mon univers familier : j'ai appris à comprendre les relations complexes et souvent haineuses entre Chinois, Polynésiens, Demis et Français ; j'ai construit des liens d'amitié qui me sont chers. Tout cela et beaucoup d'autres choses encore contribuent à alimenter l'impression que j'ai d'être une Tahitienne égarée sur un continent étranger.

Il m'arrive encore souvent de me demander pourquoi je suis revenue, car je n'appartiens pas plus au Canada qu'à la Colombie ou à une île quelconque des Caraïbes. Le fait d'être née ici n'a pas développé chez moi un sentiment d'appartenance à ce morceau de terre dont le nom et les frontières sont tout à fait aléatoires. Je fais plutôt partie d'une espèce d'arbre sans racines qui sait s'adapter sous toutes les latitudes... Cette fois, l'adaptation est plus douloureuse, mais après tout... ce n'est qu'une tempête de plus et le soleil montrera bien sa frimousse un jour ou l'autre...

À l'âge où certains renoncent à vivre, blasés par une société dans laquelle la consommation effrénée a remplacé toute activité de l'esprit, mes parents m'ont offert le monde et la possibilité d'être seul maître de mon destin.

Merci.

Notes

1. La «bible» de la navigation.
2. Canal creusé le long des côtes de la Floride lors de la Seconde Guerre mondiale pour protéger les navires américains contre les sous-marins allemands.
3. Embarcation pour aller à terre.
4. Diriger le voilier à l'aide de la barre franche (barre de bois rattachée au gouvernail).
5. Câble élastique.
6. Sorte de tente qui s'installe au-dessus du pont pour se protéger du soleil et de la pluie.
7. Bouée reliée à une ancre par un câble.
8. Faire pencher le voilier sur le côté.
9. Glisser sur le fond au lieu de s'y planter.
10. 1 nœud = 1 852 kilomètre/heure.
11. *(Global Positioning System)* Appareil électronique qui calcule notre position grâce à des satellites.
12. Naviguer en zigzag pour ne pas avoir le vent de face car il est alors impossible de gonfler les voiles.
13. Reculer.
14. Tunnels de toile qui permettent de faire rentrer plus d'air dans le voilier par les écoutilles (ouvertures carrées ou rectangulaires pratiquées dans le pont et munies d'une porte).
15. Position des voiles quand le vent est presque de face.
16. Degré de l'échelle de Beaufort, qui sert à évaluer la vitesse du vent.
17. Treuil fixé sur le pont pour border (tendre) les voiles.
18. *Perkins* est la marque de commerce de notre moteur.
19. Treuil pour remonter l'ancre.

20. Immobiliser le voilier en le plaçant face au vent.
21. Type d'ancre.
22. Corde attachée à la chaîne de l'ancre ou directement à l'ancre.
23. Vent de face.
24. Replier le bas de la grande voile et l'attacher contre la bôme à l'aide de petites cordelettes (garcettes)pour diminuer la surface de la voile et donner ainsi moins de prise au vent.
25. Type de voile.
26. Tendre les voiles.
27. Détendre les voiles.
28. Dispositif qui permet d'enrouler le foc autour de l'étai pour réduire sa surface au lieu de le changer pour une voile plus petite.
29. Système de poulies et de câbles qui retient la bôme pour qu'elle n'oscille pas librement d'un bord à l'autre du voilier en cas de fausse manœuvre.
30. Descendre les voiles.
31. Dispositif qui empêche l'eau de pénétrer par l'arbre d'hélice du moteur.
32. Cordage qui sert à hisser la grand-voile.
33. Cordage qui maintient la bôme à angle droit avec le mât.
34. Petites épiceries.
35. Transport en commun.
36. Capitaine de port.
37. Petits bateaux taxis
38. Battre au vent.
39. Façon de placer les voiles quand le vent vient de l'arrière. (Elles forment un triangle.)
40. Voile plus grande que le foc.
41. Enlever la rouille avec un marteau pointu.
42. Transport public.
43. Voilier à deux mâts.

44. Voile du plus petit des deux mâts (mât d'artimon).
45. Quand le voilier se retourne et le mât se retrouve sous l'eau.
46. Voiliers ou bateaux à moteur qui s'attachent parallèlement les uns aux autres, coque contre coque, pour mouiller.
47. Prise qu'offre au vent tout ce qui est sur le pont (mât, bidons d'eau, roof...).
48. Poisson aux reflets multicolores qui possède un bec rigide ressemblant à celui d'un perroquet pour gratter le corail et s'en nourrir.
49. Longueur de chaîne ou de corde que l'on prépare sur le pont pour être prêt à mouiller.
50. Notre plus petite voile.
51. Baril de métal renversé dont le fond est plus ou moins enfoncé à l'aide d'un marteau pour que l'on puisse obtenir différentes notes en frappant avec des baguettes de percussionniste.
52. Pièces de tissu tendues autour du voilier, sur les lignes de vie, pour éviter que les curieux puissent voir ce qui se passe sur le pont.
53. Sortir le bateau de l'eau et effectuer toutes les réparations nécessaires (peinture...).
54. Maison.
55. Peinture qui empêche la formation d'algues sur la partie immergée de la coque.
56. Beaucoup de morts.
57. Formation végétale où poussent de gros arbres dont les racines crochues plongent dans l'eau.
58. Long cylindre de métal qui se fixe perpendiculairement au mât et permet de tendre le bas de la voile (foc, génois ou spinnaker) par vent arrière pour qu'elle ne se replie pas sur elle-même.
59. Passage dans une barrière de corail, qui permet de pénétrer en eaux calmes.
60. Navire immobilisé par le manque de vent.
61. Petits insectes à carapace noire d'environ un millimètre de long qui s'attaquent aux céréales, aux pâtes et à la farine.
62. Voile qui se hisse sur l'étai et n'a pas de mousquetons (crochet de métal à ressort qui permet de fixer les voiles sur l'étai).

OCÉAN
PACIFIQUE
Tahiti

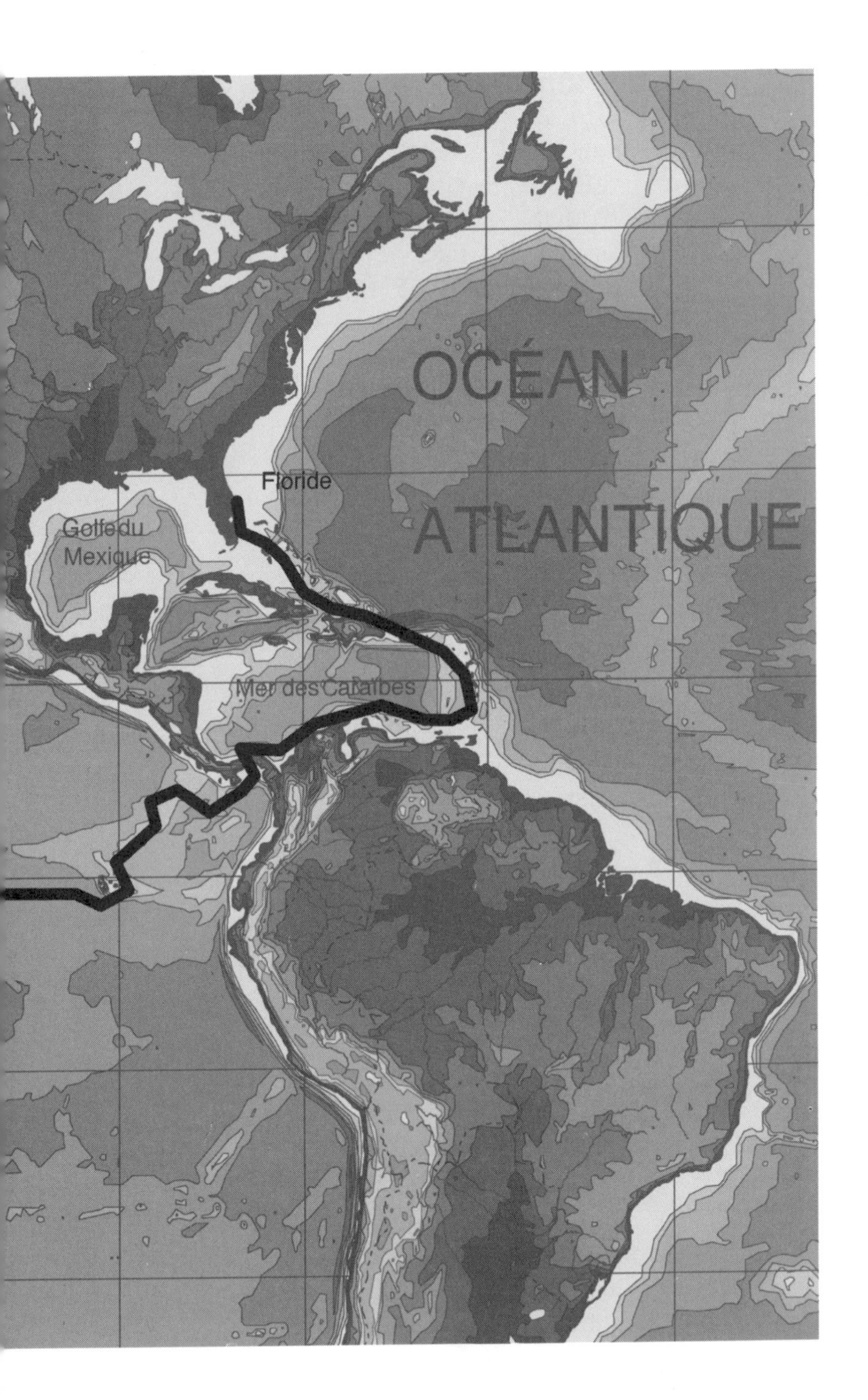
OCÉAN
ATLANTIQUE
Floride
Golfe du
Mexique
Mer des Caraïbes

DISTRIBUTEURS EXCLUSIFS

Distributeur pour le Canada et les États-Unis
LES MESSAGERIES ADP
MONTRÉAL (Canada)
Téléphone: (514) 523-1182 ou 1 800 361-4806
Télécopieur: (514) 521-4434

Distributeur pour la Suisse
TRANSAT S.A.
GENÈVE
Téléphone: 022/342 77 40
Télécopieur: 022/343 46 46

Distributeur pour la France et autres pays européens
HISTOIRE ET DOCUMENTS
CHENNEVIÈRES-SUR-MARNE (France)
Téléphone: (01) 45 76 77 41
Télécopieur: (01) 45 93 34 70

Dépôts légaux
3e trimestre 1999
Bibliothèque nationale du Canada
Bibliothèque nationale du Québec